Te $\frac{18}{316}$

A

MAUX DE NERFS

DOULEUR ET TROUBLE

DES DIGESTIONS

— 1853 —

DE SOYE ET BOUCHET, IMPRIMEURS, RUE DE SEINE, 36

— PARIS —

MAUX DE NERFS

DOULEUR ET TROUBLE

DES DIGESTIONS

OU

GUIDE PRATIQUE DES MALADES

QUI SOUFFRENT DE L'ESTOMAC ET D'AFFECTIONS NERVEUSES

PAR M. DUPOIZAT

MÉDECIN DE LA FACULTÉ DE MONTPELLIER

PROFESSEUR PARTICULIER DE PATHOLOGIE GASTRO-INTESTINALE

DEUXIÈME ÉDITION

ENRICHIE D'UN GRAND NOMBRE D'OBSERVATIONS DE GUÉRISONS
AVEC TOUS LES DÉTAILS DU TRAITEMENT

> La plupart des maladies chroniques ont leur
> source dans les *domaines* de l'estomac.
> [BORDEU, *Mal. chron.*]

PARIS

CHEZ L'AUTEUR, RUE MONTMARTRE, 17

ET CHEZ GARNIER FRÈRES, LIBRAIRES, AU PALAIS-ROYAL

ET RUE DES SAINTS-PÈRES

1853

INTRODUCTION

Nous offrons au public un nouveau traité de la gastralgie, de cette affection nerveuse de l'estomac si commune et toujours redoutable, maladie chronique, souvent rebelle, qui a la funeste propriété de jeter dans la mélancolie.

Aussi ancienne que le monde, elle se multiplie chez les peuples les plus civilisés, où fleurissent les lettres et les arts, où règnent le luxe et la corruption des mœurs, faisant des victimes dans toutes les classes de la société, dans les palais comme dans les chaumières.

Ce livre est le fruit de quinze années d'expérience, consacrées à l'étude et au traitement des affections des nerfs et de l'appareil digestif, affections qui rendent d'autant plus malheureux qu'elles attaquent à la fois le physique et le moral.

Également utile aux malades et aux médecins qui se défient des systèmes et veulent s'éclairer des lumières de l'observation, notre ouvrage n'a aucune prétention scientifique. Il s'adresse aux gens de toutes les professions, car nous avons évité avec soin d'employer les termes techniques, de parler la langue médicale, qui est de l'allemand, de l'hébreu pour les personnes étrangères à l'art de guérir; tout lecteur intelligent, avec une instruction très-ordinaire, comprendra nos leçons, dictées dans un style simple, clair et un peu familier.

Nous avons passé en revue les nombreux symptômes de la maladie que nous traitons spécialement; nous avons énuméré ses causes variées, et notre description est comme un miroir où ceux qui souffrent des nerfs et de l'estomac peuvent aisément se reconnaître.

Montrer au patient que l'on connaît ses douleurs, ce n'est pas lui prouver qu'on en sait le remède, et dans un siècle où le charlatanisme est partout, il faut des preuves pour convaincre et inspirer la confiance : aussi nous avons signalé une masse de guérisons, choisies à dessein pour représenter toutes les variétés de la gastralgie. Il est vrai que nous avons désigné nos malades seulement par la lettre initiale de leur nom propre; mais à ceux qui refuseraient de croire à notre probité médicale, nous pourrions indiquer le nom en entier et l'adresse de quelques centaines de gastralgiques, souffrant depuis des années, dont nous avons calmé les douleurs et rétabli les digestions.

Partout nous avons placé l'exemple à côté du précepte : ce dernier en sera mieux saisi et restera plus facilement gravé dans la mémoire.

Nous nous sommes appliqué particulièrement à déterminer l'à-propos de chacun des remèdes qui nous réussissent, à formuler la dose et la préparation que nous avons reconnues les plus avantageuses : en un mot, nous apprenons au malade à bien apprécier l'état de son estomac endolori, et à s'administrer la substance destinée à lui rendre le bien-être.

Heureux si notre livre tombe dans les mains de ces infortunés qui languissent découragés après divers traitements infructueux ! En lisant l'histoire de certains individus guéris, histoire qu'ils trouveront semblable à la leur, ils sentiront renaître l'espérance et se féliciteront de pouvoir encore recouvrer le trésor de la santé.

LA GASTRALGIE

MAUX DE NERFS

TROUBLE DES DIGESTIONS

CARACTÈRES DE LA GASTRALGIE

Il est une maladie bien commune et souvent difficile à guérir, dont les symptômes nombreux et variés donnent quelquefois le change aux médecins et aux malades.

Elle est caractérisée par les phénomènes morbides suivants : douleur et faiblesse d'estomac, digestions laborieuses, aigreurs, rapports, bâillements, propension à dormir, borborygmes, coliques flatulentes, vents, constipation, parfois palpitations de cœur, étouffements, maux de tête,

1

vertiges, tintement d'oreilles, lassitude, morosité, tendance aux larmes.

Cet ensemble de symptômes constitue une maladie unique, appelée *gastrite* par les gens du peuple, et que la *science* désigne sous le nom de *gastralgie*.

Mais on nous permettra d'observer que la *gastralgie* est une névralgie de l'estomac, comme l'*entéralgie* est une névralgie des intestins, l'*odontalgie* une névralgie dentaire, etc., tandis que la maladie qui nous occupe siége dans le tronc nerveux de l'épigastre, produit dans les fonctions digestives un trouble qui va s'irradiant aux organes voisins, et à la longue, surtout si on veut la combattre par la diète et les sangsues, peut attaquer tous les appareils d'organes et engendrer bien des désordres.

Citons un exemple. Au printemps de 1846, nous fûmes appelé auprès d'une malade de quarante-trois ans, alitée depuis près de trois mois. Elle avait le teint presque naturel et ses yeux ne manquaient pas d'une certaine vivacité; mais la face était si maigre, toute l'habitude du corps si exténuée, qu'on aurait étudié aisément sur son squelette la configuration de la charpente osseuse.

« Voilà où est le mal, nous dit-elle en portant la main au creux de l'estomac, c'est là qu'il a débuté il y a bien trois ans, et il continue encore. Une heure ou deux après le repas, c'est une pesanteur, un serrement avec un malaise, un état d'angoisse indicible. Il semble qu'une main invisible pousse avec effort les aliments ingérés pour les faire descendre, mais ils se tiennent ramassés sous un petit volume comme dans un cul-de-sac d'où ils ne peuvent s'échapper.

« Le ventre se resserre, s'échauffe, et, sans l'usage des lavements, il n'y aurait jamais d'évacuations; pourtant, absence de soif, et la bouche n'est point mauvaise. »

En effet, la langue était volumineuse, blanche et humide, et le pouls lent, petit, mais régulier, annonçait qu'il n'y avait pas de fièvre.

Mme A*** ajoute : « Longtemps j'ai conservé un bon appétit et j'ai enduré la faim; il fallait me priver d'aliments substantiels, me contenter de légumes doux, de quelques légers potages, et les douleurs gastriques ne disparaissaient pas.

« Depuis environ six mois, je suis réduite à vivre d'une tasse de lait d'ânesse matin et soir, et, dans la journée, de la tisane de réglisse, de gui-

mauve, etc. Mais ce lait et ces boissons me répugnent, donnent lieu à des gaz qui ballonnent l'estomac, s'échappent avec bruit, et me voilà soulagée, mais pour un instant. Les urines sont
aqueuses, abondantes et rendues avec peine. Je
ne finirais pas si je voulais passer en revue toutes
les douleurs qui tourmentent mon pauvre corps.
Elles ne sont point fixes, au contraire, très-varia-
bles et courent pour ainsi dire d'un organe à
l'autre.

« A la tête, j'éprouve tous les genres de sensations pénibles. Le plus fréquemment des pointes
acérées, des lames aiguës semblent me transpercer
le crâne. Quand la tête repose sur l'oreiller, j'entends un bourdonnement, un sifflement incommode. La gorge se contracte d'une façon spasmodique et fait redouter une suffocation ; sur la
poitrine, c'est un fardeau qui écrase : de là oppression, étouffements ; et puis des battements du
cœur précipités, des tiraillements dans le dos,
entre les épaules, des coliques, etc., etc.

« On m'a fait prendre bien des médicaments, et
le tout sans succès : il n'y a plus qu'à me résigner
et à languir peu de temps encore ! » Et, ce disant,
sa voix change et des pleurs coulent de ses yeux...

Voilà bien le type d'une affection nerveuse de l'estomac à la dernière période, au degré du marasme, alors que le médecin doit nécessairement et de suite trouver le remède qui sauve, sous peine de voir succomber le patient.

Madame A*** guérit radicalement. Après deux mois et demi de nos soins, elle accepta un dîner en ville, y fit honneur et n'eut point à s'en repentir.

Nous détaillerons plus loin le traitement qui la rendit à la santé.

Cette maladie, ainsi compliquée, n'est autre qu'une névrôse de l'estomac, que nous nommerons aussi gastralgie, pour nous conformer à l'usage.

Elle est très-commune, non point à la vérité aussi grave, aussi intense que celle que nous venons de signaler, mais avec les symptômes essentiels, caractéristiques; on la rencontre plus fréquemment que toutes les autres affections nerveuses ensemble, dans les grandes cités et dans les hameaux, chez les indigents et dans les familles riches, chez de jeunes personnes et des hommes avancés en âge, en un mot, dans toutes les classes de la société.

Les symptômes, toujours nombreux, ne sont

pas identiques chez tous les malades; ils varient,
pour ainsi dire, avec chaque individu, suivant
les complexions plus ou moins délicates, la susceptibilité nerveuse de chacun, suivant l'ancienneté de la maladie, et les divers traitements qui
lui auront été opposés.

Malgré tant de malaises, le teint est ordinairement naturel; quelques-uns conservent même
leur embonpoint et la fraîcheur de la santé; et
c'est bien parce que la face n'indique pas les souffrances intérieures, qu'ils s'entendent qualifier
tous les jours de malades *imaginaires*.

Ils souffrent cependant et beaucoup, car le
physique et le moral sont également affectés.

En général, ils ont le regard triste, inquiet pendant l'acte de la digestion, et leur physionomie
a une expression pénible.

Ceux que l'on prive d'aliments substantiels, à
qui on diminue beaucoup la dose de nourriture,
que l'on condamne à la diète blanche, au régime
lacté, ne tardent pas de maigrir; leur visage devient pâle, jaunâtre; et si le remède n'arrive pas
à temps, ils tombent dans la fièvre nerveuse, dans
tous les genres de spasmes, et s'éteignent avant
l'âge, comme une lampe qui n'a plus d'huile.

Dans les premiers jours de février 1849, nous reçumes dans notre cabinet une dame à qui nous aurions donné soixante-douze à soixante-quinze ans. Elle avait le teint jaune, la face extrêmement ridée, toute l'encolure d'un vieillard décrépit. Il est vrai qu'elle accusait des souffrances épigastriques datant d'une grossesse antérieure de trente ans.

Depuis longtemps, elle dînait avec une aile de volaille bouillie, ou un morceau de veau d'un égal volume, et prenait à souper quelques cuillerées d'un potage bien clair. Cette sobriété ne l'avait pas délivrée de ses douleurs, et elle se plaignait même d'indigestions fréquentes, avec coliques, dévoiement, etc.

Nos yeux nous avaient bien trompé sur son âge; elle touchait à peine à la soixantaine.

Dans la gastralgie, la langue n'est ni sèche ni enflammée; elle est au contraire humide, large, blanche et épaisse : par exception, cette malade avait une langue étroite, petite, rose comme dans la plus parfaite santé; mais les autres phénomènes morbides nous éclairèrent sur la nature de l'affection.

Traitée en conséquence par les toniques à très-faible dose d'abord, elle éprouva un mieux très-prompt; bientôt elle doubla la quantité d'aliments sans en être incommodée; et après quelques mois, sa physionomie, son teint avaient tellement changé que ses connaissances, qui ignoraient le secret du traitement, la félicitaient à l'envi de la voir, disaient-elles, rajeunie de trois ou quatre lustres.

Revenons à notre description.

La bouche est pâteuse, mais sans mauvais goût habituellement, la soif rare et momentanée : la plupart ont de la répugnance pour les boissons.

Beaucoup salivent abondamment, du moins par intervalle; ils ont des crachotements répétés, et rejettent des matières glaireuses qui ressemblent à du blanc d'œuf ou à des huîtres.

Quand l'estomac est très-sensible, très-irritable, il rejette les aliments; mais il garde plutôt les solides que les liquides : tout le contraire arrive dans les squirrhes et cancers du pylore, où les solides ne peuvent être supportés, et où l'on digère avec peine quelques potages bien clairs.

On éprouve comme un serrement autour du cou, des picotements à la gorge qui provoquent une toux pénible.

Vers la fin de l'été 1849, un jeune ecclésiastique de Lyon, qui avait de la fraîcheur et surtout les pommettes très-colorées, vint se plaindre à nous d'une toux déjà chronique, siégeant, nous disait-il, dans la gorge, et pour laquelle on l'avait envoyé aux eaux du Mont-d'Or. Mais ces eaux ne l'avaient point soulagé; elles n'avaient réussi, ajoutait-il avec humeur, qu'à lui faire perdre un mois, et dépenser assez d'argent. L'inspection de la langue nous montra la présence d'une *gastralgie*, et ses réponses à nos questions confirmèrent notre diagnostic. La crainte suggérée par la toux empêchait ce malade de remarquer des digestions lentes, laborieuses, qui étaient pourtant la source de tout le mal. En effet, à mesure qu'elles se rétablirent, que le ventricule fonctionna d'une manière normale, la toux alla en diminuant, et bientôt il n'en fut plus question : pourtant on n'avait adressé aucun remède à ce symptôme qui effrayait tant.

Ces embarras du gosier s'accompagnent d'un affaiblissement de la voix, parfois d'un enrouement qui peut aller jusqu'à l'aphonie absolue.

Nous nous rappelons avoir donné des soins à la femme d'un tailleur demeurant à Lyon, dans la rue Vaubecour. Cette dame, assez contrefaite, ne pouvait se faire entendre en parlant, la voix était tout à fait absente. Interrogée sur les causes, elle nous apprit qu'ayant eu beaucoup de chagrin de la mort de son père, survenue trois mois avant, elle était sujette à des accès d'hystérie ; elle avait, disait-elle, l'estomac dérangé avec cette extinction complète de la voix. On lui avait fait avaler force pilules de *castoreum* et *assa-fœtida ;* mais elle n'en voulait plus, à cause de leur retour désagréable (*fœtida*).

Comme nous avions affaire à une personne éminemment lymphatique, nous administrâmes d'emblée le chocolat ferrugineux, et dès le deuxième jour, la voix reparut. En continuant le remède, dont on augmenta graduellement la dose, elle fut délivrée des convulsions, et guérit parfaitement.

Quelques-uns se plaignent d'aigreurs, d'une chaleur âcre qui s'étend de l'arrière-bouche à l'estomac (*pyrosis*, fer chaud). Alors les liqueurs du ventricule sont devenues trop acides, et si elles remontent dans la bouche, comme il arrive souvent, elles ne tardent pas à les noircir, et peuvent les carier à la longue.

En mars 1848, nous fûmes consulté par une

dame de Saint-Etienne (Loire), qui n'avait pas plus de trente-deux à trente-quatre ans; elle accusait des aigreurs, avec une cuisson le long de l'œsophage. Les deux mâchoires étaient dégarnies de leurs dents qui avaient été rongées jusqu'à la racine; seulement à la mâchoire inférieure, on remarquait les restes de trois incisives qui dépassaient encore la gencive d'un demi-centimètre.

Dans l'estomac, la douleur est sujette à bien des variétés : elle peut présenter tous les degrés intermédiaires entre le malaise le plus léger et la plus atroce souffrance. C'est un sentiment de contraction, comme si l'estomac se trouvait fortement serré dans un étau, ou de distension excessive; c'est une dilacération, un tortillement, de même que s'il était tiraillé par des griffes de fer. Cette douleur s'irradie au dos, aux épaules et sur les parois de la poitrine.

Nous avons eu l'occasion de traiter, et nous avons guéri par le traitement de la gastralgie deux malades qui n'éprouvaient point de malaise à l'épigastre, mais de vives douleurs au bas des reins, dans la région lombaire de la moëlle. Le premier était un ouvrier tisseur de vingt-huit ans, venu du bourg de Vénissieu (Isère), l'autre une femme des environs de Valence (Drôme), qui approchait de la quarantaine. Cette dernière souffrait depuis une année de mauvaises digestions et était sujette à la fièvre nerveuse.

Les malades ont la coutume de porter la main sur la partie souffrante; et, chose remarquable, la pression, au lieu d'accroître la douleur, la calme souvent, et peut même la faire cesser, en déterminant la sortie des gaz qui distendent le ventricule.

Nous avons vu des patients se coucher sur le ventre, tenant le poing fortement appuyé sur l'épigastre, afin de se soulager.

Au reste, cette douleur est loin d'être continue; elle disparaît ou va diminuant, pour revenir à des époques plus ou moins régulières. Elle suit ordinairement l'ingestion des aliments; mais chez quelques-uns elle n'éclate que plusieurs heures après le repas, ou même quand la digestion est finie, au moment où la faim se réveille de nouveau.

Bien des personnes n'accusent pas de vives douleurs; elles se plaindront d'un malaise pénible, indéfinissable, avec anxiété, profond découragement, et quelquefois sensations bizarres.

Le mal siége primitivement dans le tronc ner-

veux trisplanchnique; de là il va s'irradiant jusqu'aux extrémités des filets nerveux. Aussi n'est-il
pas d'organe dans l'économie exempt de tous
malaises : froid aux pieds, chaleur au front; dans
les hypocondres, battements extraordinaires, si-
mulant un anévrisme; ici et là, douleurs vagues,
fugaces, qui à la longue deviennent plus vives,
plus fréquentes, au point d'être prises pour des
douleurs de nature rhumatismale.

Au reste, rien de variable, d'inconstant, de
bizarre comme les maux de nerfs, ils peuvent si-
muler bien des maladies. Aussi, pour savoir les
discerner et ne jamais se laisser induire en erreur,
il faut au praticien l'habitude de les observer,
l'habitude de les traiter; et souvent les malades
contribuent eux-mêmes à tromper le médecin.

La plupart n'accusent qu'un des symptômes
dominants : l'un se plaint d'une toux, de palpitations de cœur, de maux de tête, sans faire mention d'autre chose; un autre, incapable de rendre
compte de ce qu'il éprouve, se montre en spectacle à l'homme de l'art, disant : « *Je ne sais trop
ce que j'ai, j'ai mal partout.* »

Un troisième entame l'histoire de sa maladie
qu'il n'achèvera pas d'une heure, si vous avez la

patience de l'écouter, pour continuer sa litanie sans fin à la séance suivante, ne croyant jamais avoir tout dit, et omettant peut-être les circonstances essentielles.

Dans certains maux de nerfs, et particulièrement dans la gastralgie, on remarque une irritabilité plus ou moins vive. Un attouchement, une porte qui se ferme, une parole, à plus forte raison une contrariété, suffisent pour la faire éclater.

Le névropathique parvient-il à se dominer quelques instants, c'est un peu de cendre jetée sur un feu vif, mais bientôt il y a explosion et l'embrasement se fait jour.

Il y a cette susceptibilité, comme un emportement contenu, qui fait que le malade, mécontent de lui et des autres, est toujours prêt, comme dit un auteur (1), à traduire en injures ce qui le blesse, et tout le blesse.

Les gastralgiques sont très-prompts à se passionner, à s'attendrir : ils versent, pour le moindre sujet, des larmes abondantes.

Leur douleur les fait tomber dans l'égoïsme, les rend tristes, moroses, et cette tristesse peut aller

(1) Sandras.

jusqu'au dégoût de la vie, à la mélancolie-suicide.

Nous avons connu un employé supérieur de l'enregistrement, homme de quarante ans, célibataire, lequel, désespéré, après divers traitements infructueux, de n'avoir pu se délivrer de violents maux de tête, qui le tourmentaient pendant la digestion, résolut d'en finir avec la vie, et se fit sauter la cervelle.

Des milliers d'observations, que nous avons recueillies dans notre pratique, nous permettent d'affirmer que huit fois sur dix la gastralgie n'est point isolée. Le plus souvent le trouble des fonctions digestives ne tarde pas d'engendrer le trouble de bien d'autres fonctions. La névrôse gastrique se complique souvent des vapeurs, de l'hypocondrie, des défaillances, des vertiges, et même de l'apoplexie nerveuse. Elle peut être accompagnée et même remplacée par des névralgies superficielles, névralgie temporale, maxillaire, sciatique, etc. Nous l'avons vue escortée de tous les spasmes de la gorge, de la poitrine, du cœur, du foie, des intestins et de la vessie.

Quand l'arbre nerveux a été ébranlé, la commotion se fait sentir jusqu'aux extrémités des rameaux, dans toutes les parties du corps.

La gastralgie est une maladie-mère, très-commune et difficile à guérir.

Pour l'apprécier, il faut rechercher les fonctions, les propriétés des nerfs.

La vie est comme un flambeau qui échauffe et anime nos organes, ou un souffle immortel qui met en jeu le mécanisme admirable du corps humain.

L'homme, a écrit un philosophe chrétien, est une intelligence servie par des organes ; mais entre l'homme physique, la matière, et l'homme moral, l'être pensant et sentant, il y a des agents intermédiaires, les nerfs.

Deux appareils nerveux se distribuent dans l'économie :

1° Le cerveau, le cervelet et la moelle épinière qui en est le prolongement avec tous les nerfs partant de ces diverses sources ;

2° L'appareil ganglionnaire, encore appelé le grand *sympathique,* représenté par deux cordons assez ténus qui rampent sur les côtés de la colonne vertébrale, depuis la base du crâne jusqu'au bassin. Dans leur trajet, ils présentent des renflements ou ganglions multipliés que l'on compare à autant de petits cerveaux indépendants, donnant naissance à plusieurs filets nerveux : le filet *spinal* qui s'unit au canal rachidien (la moelle), le filet de communication avec le cordon congénère, et d'autres filets se ramifiant dans les viscères voisins.

Ainsi, les deux centres nerveux ne sont point isolés. Indépendamment des rameaux qui lient les ganglions aux nerfs de la moelle épinière, bien d'autres rameaux des deux appareils se joignent dans toutes les directions, et forment dans la profondeur des organes un entrelacement inextricable ; mais, en fin de compte, tout vient se rapporter au cerveau, siége de l'intelligence, qui perçoit, juge et commande.

Les nerfs communiquent la sensibilité, déterminent la contraction des fibres musculaires, et président à toutes les fonctions.

SENTIR

Les organes des sens seraient inertes sans l'action des nerfs qui s'épanouissent dans leur intérieur. Nous savourons les mets par les papilles nerveuses qui tapissent la face de la langue; le nez ne distingue les odeurs que si les particules odorantes sont appliquées aux nerfs sentants de la membrane pituitaire; et nous ne voyons rien quand les rayons de la lumière n'arrivent pas à la rétine.

La section, la ligature d'un tronc ou d'un rameau nerveux paralysent immédiatement le membre ou le viscère dans lequel il va se distribuer. Si, sur un animal, on coupe la portion inférieure de la moelle, le train de derrière perd sa vitalité, l'animal tombe sans pouvoir se relever ou se tenir debout.

Trop souvent chez l'homme un accident, quelque principe morbide, ayant lésé la moelle dans la région lombaire, détruit par le fait la sensibilité des organes du bassin et des membres abdominaux; alors l'infortuné n'a plus le sentiment du besoin d'évacuer les urines et les matières fécales, l'intestin et la vessie deviennent des tubes inertes qui ne réagissent plus sur leur contenu.

Dans l'état de santé, nous n'avons pas le sentiment des grandes fonctions vitales : la respiration, la circulation du sang, la digestion des aliments s'exécutent en silence, sans la participation de la

volonté ; mais si elles éprouvent quelque dérangement, la lésion des nerfs qui anime leurs organes
engendre la douleur, et nous avertit du danger.

La douleur est la sentinelle que la nature a
chargé de veiller à la conservation des parties, et
quand elle se fait sentir, c'est le cri de cette sentinelle qui avertit que l'ennemi est présent.

DU MOUVEMENT MUSCULAIRE

Dans le corps tout se meut, tout s'agite ; la vie
ne s'entretient que par le mouvement continuel
des solides et des liqueurs, mouvement de composition et de décomposition, de renouvellement de
toutes les parties.

On donne habituellement le nom de muscles
aux faisceaux charnus qui recouvrent la charpente
osseuse ; mais on a démontré des fibres musculaires dans l'estomac et les intestins, dans la vessie, les uretères, dans les gros vaisseaux sanguins,
et l'analogie nous porte à croire qu'elles existent
dans les dernières ramifications des veines et des
artères.

Les muscles possèdent la propriété de se contracter, de se raccourcir en rapprochant leurs ex-

trémités. Cette propriété qu'on nomme *irritabilité*
est inhérente à toutes les fibres musculaires, plus
forte dans les unes que dans les autres ; c'est dans
le cœur qu'elle est la plus puissante. Chacune de
ses contractions pousse le sang dans les extrémités,
et il est ramené dans le cœur avec la même promptitude : ce trajet ne dure pas plus d'une seconde
chez les individus en bonne santé.

Quels agents réveillent ou entretiennent l'*irritabilité?*

Ce sont les nerfs, lesquels se distribuent dans
toutes les fibrilles, les pénètrent de toutes parts, et
entrent dans leur tissu comme partie intégrante.

L'âme commande : sur les ordres de la volonté
les nerfs versent leur fluide dans les muscles, et
déterminent leur mouvement pour les actes que
réclame le cerveau.

Quand le corps tremble ou entre en convulsion
par la frayeur, quand la vitesse du pouls est doublée dans la colère, alors le cerveau a été ébranlé,
et tous les nerfs déploient leur action en même
temps, comme un artiste qui secouraît son instrument avec violence, et ferait vibrer toutes les
cordes à la fois. Au lieu d'harmonie, on entendrait
alors une cacophonie effroyable.

En liant le nerf d'un organe, il n'y a plus de contraction volontaire, et cet organe se paralyse, comme il a été dit ci-dessus.

Dans les expériences faites sur les animaux, si on incise à la gorge le *pneumo-gastrique*, nerf cérébral dont une branche principale se dirige à l'estomac, le travail de la digestion s'arrête, le ventricule ne continue plus son mouvement ondulatoire sur le bol alimentaire, lequel tombe alors en putréfaction.

Partout où les nerfs sont lésés, la nutrition manque, les muscles se flétrissent, les parties s'atrophient et enfin se dessèchent.

Ainsi les nerfs sont les agents de la sensibilité et de la motilité : ils sont le stimulus général de tous les viscères.

LES NERFS PRÉSIDENT A LA NUTRITION

La nutrition, cette fonction importante à laquelle notre corps doit son accroissement et son entretien, comprend à la fois l'animalisation des aliments et leur application aux diverses parties.

L'aliment trituré dans la bouche en se mélangeant avec la salive y subit un premier travail ; mais l'estomac est l'organe qui a le plus de part à la digestion, et la quantité de nerfs qui se distribuent dans ce viscère suffirait pour prouver combien ils sont nécessaires à cette opération.

Ces nerfs versent leur fluide à sa surface, le mêlent à la masse alimentaire, comme une liqueur digestive, aident à la sécrétion des sucs gastriques, et contractent les fibres musculaires de l'estomac sur les aliments, afin de les imprégner de la rosée gastrique.

On comprend maintenant pourquoi, dans la paralysie des nerfs, les digestions ne se font plus ; pourquoi le chagrin et les fortes contentions de l'âme, qui diminuent l'action des nerfs, nuisent si fort à la digestion ; pourquoi, dans le temps de cette fonction, qui emploie beaucoup de fluide nerveux, il est bon de ne point appliquer fortement son esprit ; enfin on comprend comment l'action de l'estomac sur les aliments, étant si affaiblie par la ligature du nerf, les aliments, au lieu d'y subir le changement que cette action lui imprime, n'ont dû que s'y pourrir, comme dans un lieu fort chaud et humide.

La digestion stomacale étant achevée, la masse

chimeuse passe successivement dans le *duodénum*, premier intestin grêle, pour y subir la dernière élaboration en se combinant avec la bile et le suc pancréatique.

Ensuite l'extrait nutritif des aliments est pompé par les bouches absorbantes des conduits chylifères, qui le versent dans les vaisseaux sanguins, pour être incorporé à nos organes.

Ce que nous avons dit de l'estomac est également vrai du tube intestinal, et l'est aussi des vaisseaux sanguins et chyleux dans lesquels le chyle passe au sortir des intestins; partout il trouve des nerfs, partout ces nerfs aident à l'action des vaisseaux; et, comme c'est en grande partie à cette action qu'il faut attribuer la dernière partie de la nutrition, la parfaite assimilation et l'application, il est aisé de comprendre comment cette partie souffre par l'affaiblissement de l'action des nerfs.

LES NERFS AIDENT AUX SÉCRÉTIONS ET AUX EXCRÉTIONS

On appelle *sécrétion* l'élaboration d'un liquide

par les glandes ou par les artères exhalantes de l'enveloppe cutanée.

La peau sécrète la sueur, le foie sécrète la bile, et la salive est sécrétée par les glandes buccales et cervicales, etc.

L'influence des nerfs sur les sécrétions ne saurait être douteuse. Une violente affection morale peut arrêter immédiatement la transpiration cutanée; la peau, douce et moite dans l'état normal, devient tout à coup sèche, rude, et le spasme fermant cette issue aux sérosités, il s'en fait un reflux sur les reins dont les couloirs aussi resserrés, mais moins complétement, ne laissent passer que la partie la plus aqueuse.

Les canaux des glandes sont également contractés spasmodiquement par les émotions vives. On n'en voit que trop d'exemples après le chagrin ou la frayeur, qui arrêtent quelquefois sur-le-champ le flux de la bile et procurent la jaunisse.

MALADIES DES NERFS MÊMES

Maintenant que tout lecteur est à même d'apprécier le rôle essentiel, immense, du système nerveux, il lui est facile de comprendre combien ses lésions peuvent apporter de trouble, de désordre dans les fonctions de l'organisme.

Placés entre l'âme et le corps, entre l'intelligence et les viscères, les nerfs reçoivent leurs maladies de ces deux sources différentes.

Le robuste crocheteur, endurci aux fatigues, n'est point disposé aux affections des nerfs ; elles attaquent de préférence les gens d'un esprit cultivé, d'une âme sensible, ceux qui mènent une vie sédentaire, dont les membres grêles ou amollis résistent mal aux impressions, aux variations de température.

Les nerfs n'ayant pas de fonctions évidentes pour nous, mais n'étant que des agents qui déterminent l'action d'autres parties, c'est dans l'action de ces dernières qu'il faut voir celle des nerfs; c'est par la lésion des fonctions des unes qu'il faut deviner les maladies des autres.

Les nerfs sont les cordes cachées qui, derrière un théâtre, font jouer les machines que l'on nous présente. Si les machines jouent mal, nous jugeons avec raison que les cordes sont dérangées, et nous cherchons quel peut être ce dérangement.

Cet enfant a des convulsions : je ne vois point ses nerfs, et lors même que je les verrais, ils me paraîtraient peut-être très-sains; mais je vois des mouvements très-violents dans les muscles. J'appelle cependant sa maladie une maladie de nerfs, et cette maladie est le trouble de l'opération qui se passe entre les nerfs et les muscles; et c'est ainsi qu'il faut concevoir les maux de nerfs.

Les causes prochaines des maladies des nerfs sont : 1° leur atonie, leur relâchement; 2° leur échauffement, leur trop grande tension; 3° leur âcreté; 4° la susceptibilité du cerveau; 5° et l'extrême irritabilité des muscles.

L'ATONIE DES NERFS

Le trop de raideur ou la trop grande faiblesse
des fibres musculaires sont palpables. On juge
avec certitude, par l'inspection, du trop d'épaisis-
sement de la salive, de l'urine, du cérumen des
oreilles, et il y a des symptômes presque caractéristiques pour nous faire apprécier si la bile est
âcre ou inerte. Il n'en est malheureusement pas
de même des nerfs : leur état ne tombe point sous
nos sens ; souvent, après les maladies les plus intenses, on ne peut apercevoir aucune lésion dans
tout le système nerveux, et nous n'avons point de
caractère aussi certain pour reconnaître de quelle
espèce est celle qu'ils éprouvent. Mais il y a un
rapport entre la force de toutes les fibres et l'état
de tous les liquides du corps humain ; ainsi, partout où nous trouverons les symptômes d'une fibre trop molle et trop lâche, de liqueurs trop peu
stimulantes, nous pouvons présumer que l'action
des vaisseaux étant trop faible, le sang trop pauvre, le cerveau et les nerfs seront aussi trop faibles et le fluide nerveux trop aqueux. Si, avec ces
symptômes, nous rencontrons ceux qui annoncent

les maux de nerfs, nous ne douterons pas que le vice ne tienne au vice général de l'organisme, et nous le traiterons en conséquence.

Tout est mou chez les enfants, le gluten n'est qu'une gelée, le sang paraît étendu d'eau, leurs humeurs sont insipides; néanmoins, c'est l'âge où la convulsibilité est la plus grande.

Qu'un acide irrite chez un enfant les nerfs très-sensibles de l'estomac, vous voyez d'abord les muscles de ses lèvres, bientôt ceux des yeux, ensuite ceux de tout le visage, puis des doigts, du poignet, de la poitrine, enfin de tout le corps, passer, des légers mouvements involontaires, aux plus violentes convulsions. En même temps son cou se gonfle, la respiration se précipite, le ventre se tend, il vomit et il urine prodigieusement; il passe de cet état à l'évanouissement, et de l'évanouissement aux convulsions.

L'âge, en diminuant la mollesse, diminuera cette disposition aux spasmes; tout ce qui augmente la force des fibres sans les irriter, dissipera la cause du mal.

Vous feriez avaler un acide bien plus fort à cet enfant devenu vieux et desséché, à l'époque où cette souplesse, qui faisait que rien ne se casse

chez l'enfant, a disparu, et fait place à une séche-
resse qui rend tout fragile, à cette époque où les
parties molles se pétrifient, où le cerveau même
perd de sa souplesse, vous ne lui donneriez sûrement pas des convulsions; il faut alors les stimulus les plus forts pour les produire.

Le sexe qui offre la fibre la plus molle, le sang
le plus aqueux, est aussi celui chez lequel les
maux de nerfs sont les plus fréquents.

C'est dans les contrées où l'air est le plus humide, a écrit Tissot, où l'on fait le plus d'usage
des eaux chaudes, que l'on trouve le plus de
maux de nerfs; de même, pendant les grandes
chaleurs qui relâchent, et dans les saisons plu-
vieuses qui humectent, et surtout pendant les
vents chauds du midi qui relâchent et humectent
tout à la fois.

Parmi les femmes vaporeuses, il en est qui,
dans un air pesant et humide, ne peuvent pas faire
cent pas sans être incommodées, mais qui, dans
un air vif et sec, marcheraient aisément une lieue.
Quand le vent du nord souffle, elles s'arrêtent
pour le respirer mieux; elles sentent qu'il leur
donne de la force, du bien-être et de la gaieté.

Le cerveau, les nerfs peuvent avoir plus de fermeté, de dureté qu'ils n'en devraient avoir pour exécuter parfaitement leurs fonctions; le fluide nerveux doit contracter un vice analogue, et il en résultera des maux de nerfs.

La multitude d'observations recueillies par les médecins, le grand nombre de maladies de nerfs combattues avec succès, tous les jours, par les bains tièdes, le régime rafraîchissant, ne permettent pas de douter que cette méthode est, dans ces cas, la seule bonne, la seule efficace.

Dans l'été de 1848, nous fûmes consulté par une femme âgée de cinquante ans, habitant à Lyon, le quartier de l'Hôtel-de-Ville.

Sa physionomie exprimait l'inquiétude et l'angoisse; elle ne pouvait rester un instant immobile et à la même place; c'était une agitation, des soubresauts continuels, avec des douleurs indéfinissables dans toutes les parties du corps.

Interrogée sur les causes de ses souffrances, elle accusa des frayeurs répétées en voyant passer dans la rue, après février, les rassemblements d'ouvriers qui faisaient leurs *manifestations patriotiques*, et en entendant les cris de ces hommes d'émeute.

Nous prescrivîmes l'usage des grands bains,

répétés tous les jours, une boisson abondante d'eau de poulet, avec une alimentation peu substantielle.

Après quinze jours, la malade revint nous voir. Elle avait retrouvé le calme, son regard était tranquille et exprimait la satisfaction; paisiblement elle nous raconta combien ses douleurs l'avaient rendue malheureuse. « Mais je sens bien maintenant qu'avec des bains et un régime rafraîchissant, je serai dans peu délivrée d'une maladie qui m'effrayait et que j'avais crue incurable. »

La tension, la raideur n'est pas une cause fréquente de maux nerveux; car les nerfs fermes se rencontrent habituellement avec les constitutions les plus fortes, chez les hommes les plus vigoureux.

De plus, le cerveau étant la partie la plus baignée de sang, celle où l'action des vaisseaux, et l'application des objets extérieurs est la moindre, il doit être peu exposé au dessèchement, non plus que les nerfs qui en découlent.

L'ACRETÉ DES NERFS

Les liqueurs de nos organes ne sont pas une

eau insipide; elles ont comme un sel pour stimuler convenablement les viscères qui les reçoivent. Si elles perdent de leur vertu, leur action est
languissante; si la stimulation est trop forte, elles
irritent et troublent les fonctions.

Une bile trop peu travaillée, trop peu amère, ne
provoque pas suffisamment le mouvement de ses
vaisseaux; elle y séjourne trop longtemps, les
obstrue, s'y condense; trop active, elle cause une
chaleur, des douleurs, une diarrhée continuelle.
Le sang appauvri affaiblit les contractions du
cœur; au contraire, il donne la fièvre quand il est
trop riche, trop stimulant.

Cet excès de stimulation, cette âcreté du sang
infectera naturellement tous les liquides, et le
fluide nerveux partagera le vice des humeurs.
L'âcreté du fluide nerveux produira des irritations tout à la fois dans le *sensorium commune*,
dans ses propres membranes sur lesquelles il réagit, et dans les fibres musculaires où il s'épanche.
Il pourra engendrer des spasmes, des douleurs,
des crampes, des irrégularités dans la *circulation*,
dans l'élaboration de tous les liquides. C'est dans
ce genre de maladies que Pome a eu de si beaux
succès; lui qui professait le *raccornissement* des

nerfs et leur cure, leur traitement par les délayants, les bains répétés et prolongés quatre à
cinq heures. C'était dans la seconde moitié du
dernier siècle ; on abusait alors des toniques astringents, des antispasmodiques âcres. En abreuvant
ses malades d'eau de poulet, les plongeant tous
les jours dans l'eau tiède, il favorisait la transpiration si souvent irrégulière dans les affections des
nerfs, assouplissait la peau, la ramollissait, et
produisait une détente générale qui calmait tous
les spasmes intérieurs. Les malades soulagés immédiatement chantaient victoire, et leurs éloges,
leur reconnaissance, étendaient au loin la réputation du médecin systématique.

SUSCEPTIBILITÉ DU CERVEAU
IRRITABILITÉ EXCESSIVE DES MUSCLES

Il est des individus que rien ne saurait émou-
voir : leur constitution froide, athlétique, les
fait résister à toutes les impressions. Comme
ces rochers qui bordent les rivages de la mer,
les tempêtes de la vie les trouvent inébranla-
bles.

Mais bien d'autres ont une complexion frêle et

3

vaporeuse : la plus légère surprise les fait tres-
saillir, une porte qui se ferme, une parole inattendue leur cause des émotions disproportionnées,
même une frayeur panique. Ils sont affligés de la
délicatesse des nerfs, laquelle comprend une vive
sensibilité du cerveau, une grande mobilité, et une
irritabilité extrême des muscles, trois causes de
maux de nerfs que l'on rencontre souvent réunies.

Des nerfs se ramifiant dans un organe y reçoivent une impression qu'ils transmettent au cerveau. Son degré de sensibilité varie considérablement les effets de l'action des nerfs sur lui, et par
là même les perceptions et les sensations de l'âme.

Cette sensibilité peut être si grande que les idées
les plus indifférentes deviennent des sensations
par la douleur qui les accompagne, et telle lésion
qui, chez d'autres, serait à peine sentie, produira
toute la série incroyablement variée des spasmes :
palpitations, étouffements, toux convulsive, etc.

Le cerveau peut être dans un tel état d'irritation
et de réaction, qu'il devient incapable de trans-
mettre à l'âme ce qu'il éprouve; et il réagit sur
les nerfs avec une force excessive et le plus grand
désordre. Tel est le cas de l'épilepsie, de quelques
affections soporeuses, de quelques paralysies, etc.

CAUSES DE LA GASTRALGIE

Elles sont multipliées, les causes de la gastralgie.

Quand on étudie la nombreuse famille des maladies nerveuses, on remarque bien vite que les mêmes causes, en général, déterminent toutes les variétés de ces affections. Les passions très-vives, extrêmes, engendrent de préférence, il est vrai, les névrôses graves du cerveau, l'épilepsie (mal caduc), la catalepsie, etc ; néanmoins, chez quelques individus, qui ont relativement plus faible le système nerveux des organes digestifs, le cerveau n'est pas ébranlé, mais les fonctions de l'estomac deviennent douloureuses.

Les peines morales sont des sources fécondes en maladies spasmodiques.

Moyens de communication entre l'âme et le corps, les nerfs ont à souffrir dès qu'ils reçoivent de l'un ou de l'autre des impressions trop vives.

Voyez un homme entrer en colère : sa physionomie s'anime, ses yeux sont brillants, le cœur précipite ses contractions, chasse le sang rapidement aux extrémités ; le cerveau ébranlé communique l'agitation à tous les nerfs ; les muscles se raidissent et sont près d'entrer en convulsion, les lèvres tremblent et la salive fouettée s'échappe en écume ; toute la bile est versée dans l'intestin, produit le vomissement ou la diarrhée, le travail de la digestion s'arrête, et la nutrition paraît suspendue.

Mais nous n'avons pas à endurer seulement les accès des passions. De même que la tempête n'est pas toujours suivie des accès de la foudre, mais qu'elle se termine fréquemment par une pluie silencieuse qui ne laisse pas que de voiler la face du soleil, ainsi la paix de l'homme est souvent troublée par des passions qui le travaillent lentement, d'une manière continue, et qui nuisent aux nerfs en produisant une forte tension de l'âme

L'exercice modéré de l'intelligence est salutaire, puisqu'il est un besoin, mais un travail immodéré est souvent funeste : c'est la corde de l'arc trop longtemps tendue, qui perd son élasticité et ne revient plus sur elle-même.

Il n'est pas de maladie chronique, particulièrement de maux de nerfs, que n'engendre la tension prolongée de l'esprit. Alors les nerfs portent moins de sensibilité et de mouvement aux organes, les fonctions languissent, le cœur bat lentement, la peau devient sèche, les pieds sont froids, le sang engorge les viscères.

Tous les jours on entend des hommes de cabinet se plaindre de digestions lentes, laborieuses, de constipation, d'hémorroïdes, etc.

La plupart des grands écrivains ont été prédisposés à la gastralgie et aux autres affections nerveuses.

Pascal, Jean-Jacques Rousseau, Zimmermann, Bernardin de Saint-Pierre, étaient hypocondriaques. Voltaire passa une année entière à ne pouvoir supporter que des potages à la fécule de pommes de terre.

Il y a vingt-cinq ans, un philosophe, dont les écrits faisaient alors grand bruit en France et en Europe, ne vivait que de laitage ; son estomac ne digérait aucun autre aliment,

Le désir insatiable, l'ambition, l'avarice, peu-vent jeter dans tous les maux de nerfs.

La haine contracte, échauffe, dessèche; aussi elle entraîne l'agitation, l'inquiétude, la pâleur, la maigreur, avec des symptômes nerveux assez graves.

L'envie use, détruit plus vite que la haine : elle réunit les maux du désir, du chagrin et de la colère.

La jalousie jette dans l'inquiétude la plus vive, dans le chagrin le plus amer, dans la tristesse la plus profonde; le sommeil fuit ou est troublé, l'appétit diminue et se perd, les digestions deviennent très-pénibles, la bile s'arrête pour refluer dans le sang et causer la jaunisse.

De toutes les affections morales, c'est le chagrin qui occasionne le plus de maux de nerfs. La plupart de ceux qui se plaignent de douleurs gastriques, de mauvaises digestions, accusent des ennuis, des *révolutions*, pour nous servir d'une expression vulgaire.

Dans les violentes passions, l'âme peut suspendre si complétement le cours du fluide nerveux que le sang arrêté dans le cœur et dans les poumons termine toute action vitale.

Il y a deux ou trois ans, dans une revue (nous ne savons plus dans quelle ville de France), un musicien de régiment, sous les drapeaux depuis une vingtaine d'années, fut remarqué par le général inspecteur, qui vint inopinément lui offrir la décoration. Dans l'excès de sa joie, le soldat ne trouva pas une parole; il trembla, ses jambes fléchirent, et il tomba pour ne plus se relever.

On lit dans les mémoires de M. Andryane qu'un militaire autrichien, établi geôlier au Spielberg, fut destitué par les ordres de l'empereur, parce que son âme de soldat s'était laissée attendrir au spectacle de la misère et des douleurs de ses infortunés captifs. Cette disgrâce lui causa une maladie de langueur : bientôt sa haute taille se courba, ses traits s'affaissèrent, son regard devint triste, mélancolique, et sa vie s'éteignit comme celle d'un vieillard usé.

Les maladies causées par le chagrin sont presque toujours fâcheuses, à moins, toutefois, que le patient n'ait le bonheur de trouver de bonne heure un médecin qui s'applique à remonter son moral, lui prodigue les consolations, s'empare de toute sa confiance, et par des discours à sa portée le réconcilie doucement avec la vie. Les

ennuis serrent le cœur, disent les gens du peuple ;
toutes les passions tristes de l'âme ont la funeste
propriété de donner de l'âcreté au sang, et de
produire une contraction à l'épigastre, laquelle
suspend, ralentit ou rend douloureuses les digestions. Le premier effet de la frayeur est un spasme
subit de la peau qui produit un frisson général,
diminue la transpiration, est suivi d'urines abondantes et claires, ou d'une diarrhée souvent très-
opiniâtre.

Un ancien militaire nous racontait un jour que
la première fois qu'il entendit de près la fusillade,
lui et nombre de conscrits, ses camarades, se
sentirent pris de coliques et d'un dévoiement,
après lequel les jambes refusaient leur service.

Dans la crainte, l'action nerveuse de la peau
étant affaiblie, l'inhalation est plus facile; alors
le corps se laisse aisément pénétrer par les
miasmes ambiants : aussi la crainte prédispose-
t-elle aux maladies contagieuses, épidémiques.

Au temps du choléra, on remarqua partout que
les individus vivant gaiement, sans s'inquiéter du
fléau, échappaient plus sûrement à ses atteintes.

L'HÉRÉDITÉ

L'enfant naît à la vie gangrené des débauches du père, a écrit Châteaubriand.

Il est malheureusement vrai que nombre de maladies se transmettent comme un funeste héritage.

Dans quelques familles, vous voyez les enfants grandir avec une santé florissante jusqu'à la puberté et même au-delà, puis sans accident aucun, offrir les tristes symptômes de la phthisie, et succomber tous successivement à la maladie que leur a léguée un père ou une mère déjà morts phthisiques.

L'épilepsie (mal caduc), l'hystérie (convulsion des femmes), l'hypocondrie (appelée vulgairement maladie imaginaire), la délicatesse des nerfs sont héréditaires.

Appelé un jour auprès d'une jeune femme qui venait d'avoir un accès hystérique, nous fûmes reçu par sa mère, qui nous donna les renseignements suivants : « La malade est très-sensible, d'un naturel impatient ; elle a pris une de ces *crises* auxquelles j'ai été sujette bien des années : c'est bien ma *fille*. »

Nous avons été à portée de traiter bien des malades affectés de migraine, de gastralgie et d'autres névralgies, qui nous informaient que leurs parents avaient souffert ou souffraient encore des mêmes douleurs.

· La plupart des mères, qui sont en proie dans leur grossesse à des affections morales tristes et prolongées, n'hésitent pas à avertir que leur enfant sera victime de leurs émotions et de leurs chagrins.

La pernicieuse habitude de trop serrer les jeunes filles par le corset équivaut seule pour quelques-unes à toutes les autres erreurs de l'éducation; l'estomac comprimé remplit ses fonctions avec beaucoup de peine; de là une multitude de maux dont le principal est une mobilité extrême dans le genre nerveux, qui se développe principalement vers l'âge nubile, et amène, à cette époque, les faiblesses, les douleurs gastriques, les étouffements, l'insomnie, etc.

L'application précoce des enfants est bien funeste aux nerfs; c'est aux dépens du cerveau et des autres organes qu'on développe prématurément l'intelligence. On a vu de jeunes écoliers de la plus grande espérance devenir épileptiques, parce que des maîtres durs et imprudents les forçaient d'étudier sans relâche.

La liberté de l'enfance gênée amène l'ennui ; et de l'ennui naissent l'inaction, le dégoût, la tristesse et tous les accidents spasmodiques.

La crue trop prompte occasionne des maux de nerfs.

Remarquez cet arbrisseau qui croît à l'ombre d'un grand mur, dans un terrain humide : sa tige s'élève rapidement au-dessus des arbrisseaux réchauffés par les ardeurs du soleil. Mais bientôt, trop frêle pour supporter sa longueur, il se courbe et laisse pencher ses branches vers la terre. Elles auront des fleurs, mais sans porter de fruits.

La nutrition trop rapide n'a point de fermeté, les fibres restent toujours lâches, les humeurs ne sont pas suffisamment élaborées. On voit de jeunes personnes tomber pour cette cause dans des états d'hystérie, d'hypocondrie les plus fâcheuses ; et, si elles ne succombent pas, elles demeurent névropathiques et valétudinaires la vie entière.

L'ÉPUISEMENT, LES ÉVACUATIONS
EXCESSIVES

Toutes les évacuations immodérées du sang, de la salive, de l'urine, de la sueur, etc., ont pour effet commun de maigrir, d'épuiser. Alors les nerfs, ne recevant plus la dose de substance habituelle pour animer suffisamment les organes, entrent en insurrection, les fonctions s'exécutent avec douleur, particulièrement · le travail digestif.

La douleur et le bien-être de l'estomac se font sentir plus ou moins aux autres appareils; de même la souffrance de toutes les parties vient réagir sur l'estomac comme sur un centre.

Dans l'état de santé, l'estomac est chargé d'exprimer la sensation de la faim, qui est commune à tous les organes; et c'est pourquoi la gastralgie est une maladie si fréquente.

La salivation, causée par l'emploi inconsidéré du mercure, peut jeter dans le marasme et dans tous les maux de nerfs.

Nous avons été consulté par un jeune homme qui, après une salivation de trois mois, avait des gonflements à l'épigastre, des étouffements comme une femme à vapeurs. Parfois, c'étaient des pleurs, un chagrin dont rien ne pouvait le consoler. Souvent il se croyait près de mourir, avec un sentiment d'angoisse affreux.

Le flux exagéré de l'urine amène quelquefois l'hypocondrie.

Tout récemment, un de nos confrères, renommé pour son caractère doux et bienveillant, un de ces hommes que leur esprit conciliant, leur modestie fait rechercher même de leurs rivaux, se trouvant atteint depuis quelque temps de cette incommodité qui allait diminuant ses forces, sans être néanmoins désespéré, a eu l'imagination frappée, effarouchée au sujet de son mal.

Dévoré d'inquiétude, en proie à une agitation, à des terreurs sans cesse renaissantes, il repoussait les consolations, les encouragements de son médecin et de ses proches. Fréquemment il se plaignait, s'emportait de ne pas voir ses amis, tout le monde s'empresser de l'arracher à une mort qu'il voyait imminente. C'est dans ce triste état que se sont écoulés les six ou huit derniers mois de sa vie, abrégée sans doute par les tortures morales de son imagination en délire.

SUEUR

La peau n'est pas une couche inerte, destinée seulement à recouvrir les muscles, à protéger les viscères intérieurs : elle a ses fonctions à elles propres, dont l'accomplissement est essentiel au maintien de la santé.

Son tissu est criblé d'une infinité de pores, qui donnent passage à la transpiration, matière excrémentielle dont la sortie est indispensable à la dépuration des humeurs.

Si une cause quelconque vient empêcher cette excrétion salutaire; si le froid, qui a la propriété de resserrer les tissus, surprenant le corps en moiteur, emprisonne à l'intérieur ce résidu de la nutrition, vous voyez bientôt éclater des désordres graves dans l'organisme, et quelquefois des accidents promptement mortels.

Certaines femmes, à l'âge critique, deviennent sujettes à des sueurs périodiques, assez abondantes pour épuiser. Leur suppression brusque peut déterminer des mouvements convulsifs, tous les genres d'affections nerveuses.

Nous avons vu quelques hommes atteints d'une gastralgie à laquelle on ne pouvait assigner d'autre cause que la suppression de transpiration.

Au mois d'août 1849, un cultivateur, âgé de cinquante-quatre ans, d'une taille et d'une complexion médiocres, vint nous demander conseil. Sa figure avait une expression pénible; son teint, qui n'était ni pâle ni très-coloré, n'annonçait pas de lésion organique. Plusieurs refroidissements avaient altéré sa santé; le dernier surtout avait lésé gravement les nerfs de l'estomac. Cet homme se trouvait dans un état de langueur, accusant des malaises, des douleurs qui le rendaient bien malheureux.

Chaque nuit il était réveillé par des crampes à l'épigastre, des suffocations dans la poitrine et à la gorge, qui lui avaient fait craindre bien des fois de toucher à sa dernière heure. Il lui fallait s'asseoir brusquement, et, après quelques moments d'attente, survenaient des renvois bruyants, qui le soulageaient et lui permettaient de se rendormir.

Dans le jour, ne pouvant se défendre d'une certaine mélancolie, il se sentait comme frappé d'un grand malheur.

L'estomac, ballonné, distendu par des gaz,

comprimait les viscères voisins, le cœur, les poumons, et donnait lieu aux étouffements.

En rétablissant les digestions, tous les accidents devaient disparaître.

Après vingt-cinq jours de remèdes, notre malade revint nous voir. Il avait retrouvé la gaieté, le sommeil n'était plus interrompu, et les fonctions gastriques s'exécutant de mieux en mieux promettaient une guérison radicale.

En 1846, nous fûmes appelé en consultation à la campagne, auprès d'une femme assez jeune, sujette depuis trois mois à des accès hystériques. Une heure avant notre arrivée, elle avait essuyé la vingt-troisième attaque. Au début, se trouvant exposée à un courant d'air frais, pendant un travail pénible qui la couvrait de sueur, elle éprouva à la peau un resserrement douloureux, le lendemain, une courbature générale, et après une émotion assez légère, qui, en d'autre temps, eût passé inaperçue, elle fut prise de convulsions pour la première fois. Depuis, l'enveloppe cutanée n'avait point recouvré sa moiteur : elle avait conservé une chaleur sèche, un peu âcre.

Ici, l'indication était d'abord de rétablir la transpiration.

De grands bains tièdes, répétés tous les jours pendant deux heures, avec une boisson appropriée, opérèrent cet effet dans l'espace d'une semaine ou deux. On continua l'usage des bains de deux en deux jours, en abaissant progressivement la température de l'eau, depuis 32 degrés jusqu'à 25, et même à 22 degrés centigrades, et se livrant dans la journée à autant d'exercices que les forces en pouvaient supporter. Après deux mois, cette femme, qui n'avait pas eu de *crise* depuis le premier jour du traitement, reprit ses occupations et abandonna les remèdes.

L'ONANISME

L'excessive déperdition de la liqueur séminale, cause des ravages souvent irréparables dans l'organisme : elle tarit directement les sources de la vie.

On sent un poids, une douleur dans le cerveau, et plus tard comme un vide immense, de la chaleur avec faiblesse le long de la colonne vertébrale; l'estomac habituellement resserré fonctionne péniblement, les palpitations sont fréquentes, la vue et l'ouïe diminuent, la mémoire s'éteint, les aliments profitent peu, le corps dessèche, la peau se flétrit, et l'individu ne conserve de la sensibilité que pour la douleur.

Rien n'est triste et déplorable comme l'état d'un jeune homme qui s'est livré un certain temps à la débauche solitaire : à vingt-cinq ans, il endure toutes les infirmités de la vieillesse.

HÉMORRHAGIES

Le sang est une chair coulante. La perte d'une certaine quantité de ce liquide nourricier est une cause infaillible de maux de nerfs. Les infortunés qui s'ouvrent les veines pour ne pas tomber vivants entre les mains de leurs ennemis, sont trouvés les membres pliés, raidis convulsivement.

La femme qui, dans un accouchement, succombe à une hémorrhagie foudroyante, expire dans les convulsions.

Dans les maladies aiguës, les saignées répétées et copieuses, surtout chez des individus très-sensibles, prolongent la convalescence, la rendent quelquefois interminable par les symptômes nerveux qu'elles font naître et qui contrarient sa marche.

Dans son ouvrage sur les gastralgies et entéralgies, le docteur Barras cite l'histoire d'une foule d'individus chez qui des applications répétées de sangsues à l'épigastre avaient exaspéré la maladie, et l'avaient compliquée de toute la série incroyablement variée des spasmes et des vapeurs.

Plus on diminue la quantité de sang, plus on augmente la prédominence nerveuse.

Les spoliations sanguines ont l'effet inévitable de produire la mobilité des nerfs et les troubles des digestions; bientôt le mal s'irradie au cœur, palpitations; à la poitrine, oppression, etc.

ALIMENTATION INSUFFISANTE

L'alimentation peut être insuffisante en quantité et en qualité.

Dans un voyage en bateau à vapeur sur le Rhône, de Beaucaire à Lyon, en 1844, nous fîmes la connaissance d'un militaire espagnol, dont le visage pâle et amaigri, les traits crispés annonçaient la souffrance; il portait fréquemment la main à l'estomac, qu'il semblait pousser avec effort.

Il nous raconta que, depuis plusieurs années,

il était sujet aux douleurs gastriques après le repas; il ne prenait que peu de nourriture à la fois,
néanmoins les digestions restaient laborieuses.

Dans la longue guerre civile où il avait combattu en Catalogne dans les rangs de la légitimité,
il avait bien souvent enduré la faim. Jeune et de
bon appétit, il avait été très-sensible aux privations; de bonne heure il éprouva des tiraillements
à l'épigastre, lesquels, devenant habituels, avaient
troublé les fonctions digestives. Depuis lors, assurait-il, aucun remède n'avait réussi à le délivrer de ses maux et à lui rendre la belle santé de
sa première jeunesse.

Un célèbre médecin anglais a écrit que les gastralgies sont pour ainsi dire endémiques parmi le
peuple du nord de l'Angleterre, et il attribue cette
fréquence à l'usage exclusif des légumes, des
fruits, des farineux et du laitage, dans un climat
froid et nébuleux.

M. le docteur Vignes, qui a traité un grand
nombre de ces affections nerveuses dans le pays
de Caux, en Normandie, accuse également ce
régime, joint à l'usage du cidre et du lait écrémé,
dans des campagnes beaucoup trop visitées par
la pluie.

L'ALLAITEMENT

Comme toutes les évacuations trop abondantes, il peut maigrir, épuiser et occasionner des affections vaporeuses.

Les mères qui ont l'estomac sensible, douloureux, la poitrine faible et les nerfs délicats, ne sont point faites pour nourrir leurs enfants.

La mobilité nerveuse rend très-susceptibles d'émotions, et les émotions altèrent toujours un peu le lait, et souvent le diminuent. En outre, les vaisseaux laiteux, fournis de beaucoup de nerfs, sont exposés à des serrements spasmodiques : on a vu des tumeurs se développer aux seins après le chagrin, la colère ou la frayeur, surtout dans le temps de la lactation.

Une bonne nourrice doit nécessairement prendre plus d'aliments et les bien digérer ou s'affaiblir : or, la femme qui a bien de la peine à digérer ce qu'il lui faut pour vivre ne recueille rien pour la subsistance de l'enfant. Dans ce cas, il se forme moins de lait. Si l'enfant prospère, la mère ne tarde pas de tomber dans la faiblesse, la pâleur, la maigreur ; les nerfs souffrent : alors gastralgie, tristesse, palpitations, insomnie, vertiges, etc.

Les poumons faibles sont bientôt fatigués par le nourrissage; le chyle augmenté les irrite, produit de l'agitation, cette fièvre qui tourmente les personnes hectiques après leur repas. Aussi voiton beaucoup de nourrices se plaindre de la soif, de douleurs de poitrine, tousser, prendre des feux au visage, etc.

En 1847, une femme âgée de trente ans, du bourg de Miribel (Ain), vint nous consulter pour une toux grave, déjà chronique.

La malade venait de nourrir son quatrième enfant; plusieurs mois avant le sevrage, elle commença à se plaindre de cette toux, ressemblant au catarrhe pulmonaire, qui n'avait fait qu'augmenter, et dont n'avaient pu la guérir les adoucissants, les bouillons et sirops pectoraux, les révulsifs, etc., etc.

Pour qui ne l'avait jamais vue, Madame*** paraissait d'ailleurs assez bien portante; mais elle assurait qu'elle avait perdu sa fraîcheur et avait bien maigri.

C'était une toux gastrique, une toux d'épuisement.

En l'attaquant par les aromatiques et les fortifiants, la toux diminua beaucoup dans l'espace
d'une dizaine de jours ; il n'y avait plus ces quintes
effroyables qui la réveillaient de grand matin, l'o-
bligeaient à rester sur son séant des heures entières,
et semblaient près de lui arracher les poumons.

L'appétit augmentait, les digestions étaient normales ; aussi, après trois ou quatre semaines, cette
femme, parfaitement débarrassée, avait retrouvé
ses couleurs et ses forces.

Ici, le remède avait été administré à temps, et
nous avions affaire à une constitution assez robuste ; mais, dans d'autres cas, chez les personnes
d'un tempérament délicat, irritable, les accidents
font des progrès si rapides que, malgré tous les
soins et les médicaments les mieux indiqués, les
nourrices succombent victimes de leur courage ou
de leur imprudence.

En octobre 1850, nous fûmes appelé à la campagne, à une lieue de Lyon, pour traiter une jeune
mère qui ne pouvait plus rien digérer, et était sujette à des douleurs du cerveau qui lui faisaient
pousser des cris, et revenaient irrégulièrement.

Nous la trouvâmes exténuée, la face et les mains
sèches, flétries, dans un état de marasme avancé.

Elle avait allaité dix-huit mois une enfant âgée alors de près de deux ans, et jouissant d'une bonne santé. Dans les derniers mois, elle éprouvait des douleurs de poitrine; il lui semblait, disait-elle, que sa fille lui suçait jusqu'au sang. Bientôt les digestions se troublèrent, et elle mangea de moins en moins; ses forces allaient en diminuant, et après une frayeur elle fut prise de ces *crises* dans la tête qui éclataient surtout pendant qu'elle souffrait de l'estomac.

Après plusieurs semaines de nos soins, elle parvint à digérer le bouillon gras, les sucs de viandes, des conserves alimentaires; elle s'en nourrissait depuis un mois environ, et la tristesse, le teint jaune, la maigreur ne disparaissaient pas. Évidemment la digestion était incomplète; il y avait atrophie des nerfs qui aident à l'absorption du chyle, à la nutrition : aussi, après avoir langui, souffert encore quinze ou vingt jours, elle mourut hectique.

LA LEUCORRHÉE (Pertes blanches)

Est une cause de gastralgie qui n'est point rare. Elle s'accompagne bientôt d'une grande sensibilité d'estomac, laquelle donne lieu plus tard à des tiraillements douloureux, à la gastralgie.

Si la leucorrhée est abondante, elle peut être suivie d'étouffements, d'insomnie, et d'une mélancolie habituelle.

EAUX CHAUDES, BOISSONS DÉLAYANTES

Les maladies aiguës, les fièvres réclament les boissons délayantes, mucilagineuses ; mais quand on les prend sans indication, sans besoin, quand il n'y a pas lieu de rafraîchir le sang, de calmer une inflammation, elles ne tardent pas d'énerver la muqueuse et les autres membranes de l'estomac. Comme une peau qu'on laisse plongée dans un liquide émollient se ramollit, se déforme et se boursouffle, de même celles-ci n'ont plus assez de ton, n'offrent plus assez de résistance pour réagir convenablement sur le bol alimentaire. De là douleur et travail incomplet.

Le docteur Barras, déjà cité, qui avait souffert longtemps d'une gastralgie, ne manque pas de rappeler qu'auparavant il s'était abreuvé pendant des mois, des années, de la tisane d'orge, laquelle avait paru lui faire du bien dans le principe, et

qu'il avait continuée sans nécessité, par habitude ;
et c'est à l'abus de cette tisane qu'on doit, assure-
t-il, attribuer le développement de la maladie à
laquelle il était prédisposé par tempérament, et
qui le conduisit aux portes du tombeau, grâce
aux sangsues et au régime antiphlogistique.

Les boissons rafraîchissantes délaient beaucoup
le suc gastrique, et en dénudant les parois de l'estomac, augmentent son impressionnabilité. Aussi
la digestion devient lente et douloureuse, et les
intestins paresseux ne se débarrassent que très-
difficilement des matières accumulées.

De toutes les eaux chaudes, le thé et le café,
boissons âcres, occasionnent le plus de maux de
nerfs.

Des médecins célèbres de Londres ont assuré
que l'usage abusif du thé est une des principales
causes des tremblements, des vertiges, des insomnies et de tous les accidents hystériques et hypocondriaques si fréquents dans cette ville.

Quand les nerfs de l'estomac sont devenus très-
mobiles, une tasse de thé concentré donne un
malaise, une anxiété, des bâillements, des étouffements extrêmements forts.

Le café dont on abuse produit un serrement

pénible à l'épigastre, une agitation générale, l'insomnie, des palpitations, quelquefois une tristesse profonde, effet bien opposé à celui qu'il a souvent, quand, pris après le repas, il aide l'estomac à se débarrasser plus promptement du travail de la digestion, et dissipe la pesanteur, l'engourdissement, l'espèce d'ennui qui en était la suite.

LE VIN

Ranime les forces, dissipe la tristesse; il réjouit le cœur de l'homme.

Pris avec excès, le vin irrite l'estomac, le resserre, échauffe le sang, engorge le cerveau, produit le dérangement des facultés et des sens, le vertige, l'abattement, conduit nécessairement aux maux de nerfs, et surtout au tremblement, à la paralysie, à l'hypocondrie, etc.

L'ivresse est comme une apoplexie passagère; si elle se renouvelle un peu fréquemment, l'appareil nerveux perd sa force, toute son énergie; les artères et les veines cérébrales passent de la distension au relâchement, à une atonie complète. L'ivresse habituelle ruine les digestions, énerve, abrutit, laisse dans la tristesse, les vapeurs, en-

gendre la dissolution du sang et des autres liquides : aussi la plupart des ivrognes meurent dans
l'hydropisie.

Le vin est utile dans la gastralgie lorsque l'a-
tonie est la cause première du mal, et qu'il y a
dans l'estomac plus de faiblesse que de mobilité.
Mais dès que les nerfs sont parvenus à un certain
degré de délicatesse, le vin, surtout s'il est nouveau, les irrite presque toujours, et d'autant plus
sûrement que l'estomac est d'ordinaire le viscère
le plus affecté; quelquefois il irrite sur-le-champ,
d'autres fois seulement après s'être aigri, et cette
disposition à la fermentation acide s'efface très-
lentement.

L'INACTION, LA VIE SÉDENTAIRE

L'inaction relâche, amollit les fibres, ralentit
la circulation du sang et toutes les sécrétions.
Aussi elle peut être la source de toutes les maladies de langueur, surtout des maux de nerfs.

Des paysans robustes, occupés tout à coup à
des arts sédentaires, deviennent aisément vapo-
reux; et à Lyon en particulier, il n'est point rare
de voir de jeunes hommes fortement constitués,

qui ont quitté depuis peu le travail des champs pour aller s'enfermer dans un atelier de tissage, se plaindre bientôt de douleurs d'estomac, de gastralgie.

La vésanie, l'hypocondrie que l'on rencontre également chez de jeunes soldats en temps de paix, n'a souvent pas d'autre cause que le désœuvrement, le passage d'une vie laborieuse au séjour d'une caserne, à l'oisiveté des corps-de-garde.

En tout temps, on a dit que les maux de nerfs sont le partage privilégié de l'opulence.

Il est bien vrai que les vapeurs hantent surtout les boudoirs et les salons; elles affligent de préférence ces dames qui passent leurs journées sur un fauteuil, ou dans une voiture mollement suspendue.

Dieu ne créa pas notre premier père dans un palais, et ne voulut pas qu'il vécût enfermé sous des lambris, fuyant le grand air et les rayons du soleil; il le plaça dans un vaste jardin, qui était, dit l'Écriture, arrosé de quatre grands fleuves, c'est-à-dire dans un royaume qu'il parcourait à son aise.

L'exercice corporel est donc un besoin, une loi de la nature; et quand nous violons cette loi, la

nature offensée nous en fait souvenir par la douleur.

Le sommeil, qui est l'inaction complète, est
comme une paralysie passagère. Prolongé habituellement outre mesure, il a les effets d'une
demi-paralysie : on tombe dans une faiblesse
morale et physique; il y a diminution de la mémoire, de l'imagination, etc.

Dans le sommeil, le sang s'accumule dans le
cerveau. A la longue, les vaisseaux distendus se
relâchent, le sang même se décompose, la sérosité
s'en sépare, l'organisation souffre, le fluide nerveux se vicie, et depuis les plus légères vapeurs
jusqu'à l'hypocondrie et à la folie, tous les maux
de nerfs peuvent en être la suite.

L'ACRETÉ DES HUMEURS

Bien des causes peuvent altérer, vicier le sang
et les humeurs : l'infection, par un mal conta-
gieux, des maladies dont la crise a été incomplète,
les passions de l'âme et surtout le chagrin, les
digestions laborieuses, et surtout le trouble de la
transpiration, etc.

Nous avons eu occasion de traiter plusieurs

personnes qui souffraient depuis longtemps de
mauvaises digestions et particulièrement de douleurs d'entrailles (*entéralgie*), être subitement guéries après l'éruption spontanée de furoncles ou
d'une dartre : c'est-à-dire qu'une humeur âcre
fixée sur les nerfs de l'estomac ou des intestins
dérangent leurs fonctions qui se sont rétablies dès
qu'elle est venue se déposer à l'extérieur.

Les exemples de convulsions chez de jeunes
enfants, terminées par la râche ou l'apparition de
croûtes de lait, ne sont point rares.

Il n'y a rien de si ordinaire que les convulsions
produites par l'humeur de la petite vérole, de la
rougeole, de la scarlatine, au moment où ayant
infecté toute la masse des humeurs elle n'est point
encore sortie.

L'AIR

L'air est un aliment. Malsain, il détériore les
constitutions les plus solides. Aussi dans les cités
populeuses, on voit bien des enfants pâles, étio-
lés, et les jeunes personnes qui habitent des rues
étroites, dans des boutiques sombres ou des ap-
partements mal aérés, perdent vite leurs couleurs
et se fanent de très-bonne heure.

Les grandes chaleurs de l'été sont un supplice pour les femmes qui ont les nerfs très-délicats, si elles ont en même temps les chairs molles.

Depuis dix heures du matin jusqu'à cinq heures du soir, vous les voyez tristes, inquiètes, dans un état d'anxiété et d'angoisse. Le vent du nord survient-il, il leur rend la vie, le calme, le bien-être.

Le vent du sud ou de l'ouest, chargé de parties humides et chaudes, détruit toutes leurs forces et les met au désespoir.

Aux approches d'un orage, elles ont une véritable fièvre nerveuse ; quelques-unes annoncent le tonnerre, vingt-quatre heures à l'avance, par des palpitations et d'autres symptômes qui ne les trompent jamais.

Le froid humide n'est pas une cause occasionnelle moins puissante.

Les Anglais ont le *spleen* ; ils s'en débarrassent en fuyant les brouillards de la Tamise et voyageant sous le beau ciel de la France ou de l'Italie.

La respiration d'un air humide, trop rarement purifié, ranimé par la chaleur bienfaisante du soleil, l'immobilité obligée de certaines industries, la position courbée dans les professions de tail-

leur, de cordonnier, de tisserand, etc., les privations qu'endurent tant de gens qui ne font pas
une réserve pour les jours de chômage, les excès
de tous genres auxquels résistent difficilement des
organisations déjà affaiblies ou naturellement délicates, même les excès de travail qui succèdent
fréquemment à plusieurs semaines, à des mois
d'une vie inoccupée, les veilles, l'inquiétude et
les autres peines morales auxquelles aucun de
nous ne peut se soustraire entièrement, peines
devenues plus graves, universelles dans ce siècle
de révolutions qui désolent le présent et font
craindre pour l'avenir, ces causes et bien d'autres que nous taisons expliquent suffisamment
pourquoi la gastralgie et les autres affections nerveuses sont aussi communes, pourquoi la géné-
ration actuelle et celle qui l'a précédée, nées pendant les terreurs de la République et les guerres de
l'Empire, ressemblent si peu à leurs devancières.

Depuis cinquante ans, les vieillards ont coutume de dire que, de leur temps, on entendait
rarement parler de maladies des nerfs. Alors les
complexions étaient plus fortes, les santés meilleures; mais aussi, parmi le peuple, il y avait
moins d'ambition, moins d'agitation, moins de

besoins ; on enviait moins de sortir de sa sphère, de s'élever au-dessus de sa condition native ; il y avait plus de tranquillité dans les habitudes, plus de sécurité, partant plus de bien-être moral, plus de calme dans la vie.

Il nous reste à signaler plusieurs causes de gastralgie particulières aux femmes.

PALES COULEURS (Chlorose)

La pâleur caractéristique de la peau et des muqueuses dans la chlorose confirmée, démontrent à tous les yeux l'altération du sang, l'appauvrissement de ce liquide nourricier. Mais, dans cette maladie, il y a peut-être autant de lésions dans les nerfs que d'altération dans les liquides. Les chlorotiques, pour la plupart, souffrent de névralgies variées, particulièrement de névralgies temporales dont les accès sont douloureux à leur arracher des cris.

Beaucoup se plaignent de mauvaises digestions, de crampes d'estomac, avec tous les autres symptômes de la gastralgie. Mais, dans ces cas, l'affection nerveuse se dissipe d'ordinaire avec les pâles

couleurs ; un même traitement les guérit l'une et
l'autre.

LES RÈGLES

La gastralgie n'est pas une maladie de l'enfance ; elle est particulière à l'âge adulte. L'enfance est l'âge des convulsions ; dans les premières
années de la vie, le système nerveux, très-délicat,
s'ébranle tout d'une pièce.

Le docteur Barras croit devoir attribuer à l'ona-
nisme les gastralgies de l'adolescence ; un autre
médecin, qui a également vu beaucoup de névrôses d'estomac, a reconnu que, chez les jeunes
filles, elles se faisaient sentir d'abord à l'époque
de la puberté, avec l'établissement menstruel.

On ne saurait nier les désordres nerveux qu'engendrent les mauvaises habitudes dans un organisme de quinze à seize ans. Mais nous croyons
avec ce dernier, et l'expérience nous a appris que
la puberté opère dans les nerfs des jeunes personnes une *crise*, une révolution qui n'est pas
toujours sans danger. Leur appétit devient irrégulier, capricieux ; elles se nourrissent d'aliments
âcres, peu substantiels, la digestion est laborieuse :

de là la faiblesse, l'inaction, l'inquiétude, les pleurs; la mobilité peut aller jusqu'à des attaques de nerfs, qui disparaissent avec la première apparition du sang.

Mais si on a l'imprudence d'administrer des remèdes violents dans le but, comme on dit, de pousser les règles, alors que l'organisme est en travail, ils troublent la crise, irritent l'organe utérin en particulier, et peuvent changer de simples vapeurs en convulsions opiniâtres qui dérangent la santé pour la vie.

Quelques-unes sont prises d'accès hystériques, avant tout malaise, sans aucun symptôme précurseur.

Nous avons vu une malade de quatorze ans qui, depuis trois semaines, et sans cause connue autre que la puberté, était sujette à des mouvements convulsifs : tout à coup elle trébuchait, se laissait cheoir en perdant connaissance, et recouvrait l'usage de ses sens après quatre à cinq minutes d'une agitation générale.

Quelques moyens simples étant venus en aide à la nature, en déterminant le flux menstruel, tout rentra dans l'ordre, et la santé n'a pas été altérée depuis.

Pour de jeunes filles délicates, le flux sanguin est un mal, loin d'être un besoin ; car elles ne se trouvent jamais si bien qu'à son approche, et d'autres ne sont réglées qu'à vingt ans, vingt-trois ans, sans maladie antérieure, mais parce que leur économie était trop pauvre pour mettre du sang en réserve.

Après avoir eu bien de la peine à s'établir une première fois, les règles continuent souvent à être accompagnées d'accidents graves, de coliques dites *menstruelles*, avec des maux de cœur, et même des vomissements pendant douze heures, vingt-quatre heures, qui accablent, anéantissent : position bien déplorable, surtout si les malheureuses patientes se persuadent, après plusieurs mois de soins inutiles, qu'on ne saurait les guérir, qu'elles sont condamnées à souffrir ainsi jusqu'à l'âge critique, autant dire la vie entière.

La suppression accidentelle, toujours fâcheuse, peut occasionner tous les genres de maux de nerfs. Si une affection morale vive arrête soudain le cours du sang, et que, sans prendre garde à la cause, on veuille forcer son retour par des médicaments actifs, la suppression persiste d'ordinaire, tous les désordres s'aggravent, et, chez quelques-unes, on verra éclater de ces convulsions violentes, bizarres, qui faisaient croire, dans les siècles d'ignorance, que les malades étaient possédés du démon.

LA GROSSESSE

Quelquefois le mariage guérit les vapeurs causées par le besoin physique de l'amour; une couche peut remédier aux coliques, même aux convulsions qui attaquent à chaque retour des règles. Mais bien plus fréquemment la grossesse irrite les nerfs délicats, et les rend tels chez celles qui ne les avaient jamais sentis. Le mariage est un remède pire que le mal pour les demoiselles qui n'ont pas encore fait leur crue, ou dont l'état de langueur a besoin, avant tout, de fortifiants.

Dès les premiers jours de la conception, l'irritation de la matrice éveillant les sympathies de l'estomac et du cerveau, les jeunes femmes se plaignent d'un malaise jusqu'alors inconnu, de faiblesse, d'impatiences, de nausées et d'insomnie.

Bientôt la surabondance du sang et son épaississement inflammatoire, irritant tous les vaisseaux du corps, viennent augmenter la mobilité, et prolongent les insomnies qui, seules, suffiraient pour jeter dans toutes les affections spasmodiques.

La compression plus ou moins douloureuse sur les viscères du bas-ventre, le trouble des digestions et les goûts dépravés, enfin cette crainte de mourir dans l'accouchement, si ordinaire pendant les premières grossesses, expliquent pourquoi les nerfs se dérangent si aisément à cette époque, et pourquoi les dames font si souvent remonter à une grossesse l'origine de leurs maux.

C'est une extrême sensibilité, une mobilité trop grande; elles s'inquiètent, elles se chagrinent pour rien; d'autres seront sujettes à des vomissements, à des défaillances, etc.

L'ACCOUCHEMENT

La femme, éprouvée par la gestation, approche enfin du terme. Déjà les douleurs se font sentir, et la crainte de la mort redouble, les douleurs deviennent plus vives, plus fréquentes, intolérables; les efforts, autant de mouvements convulsifs, resserrent et relâchent alternativement les muscles; luttant de toutes ses forces, la femme crie pendant nombre d'heures qu'elle ne saurait

résister, qu'elle succombe!... et elle est délivrée.

Abattue, brisée, elle éprouve le besoin de repos, de silence : le jour, le bruit, les odeurs, la
poussière, la jettent dans le malaise et la font
souffrir; un bouillon trop fort, trop abondant,
donne la plus grande angoisse.

La fièvre de lait et les névralgies atroces qui,
parfois, viennent la compliquer, le gonflement
douloureux des seins, l'affaiblissement qui est
une suite de la perte, la diète, l'insomnie, exaltent
la sensibilité et disposent à tous les spasmes.

Un air frais, subi quelques instants, peut causer des convulsions, la paralysie; et combien de
nouvelles accouchées ont succombé à un léger
chagrin?

Le temps des couches, qui ne dure pas plus
de jours que la grossesse n'a duré de mois, est une
époque aussi féconde en maux de nerfs.

TRAITEMENT

Quand on lit certains ouvrages de médecine, on ne peut s'empêcher d'admirer avec quelle exactitude, quel fini de détails, l'auteur a décrit tous les symptômes, les causes variées, les caractères anatomiques, la marche, la terminaison heureuse ou malheureuse de la maladie, objet de son livre.

Tout cela est fait de main de maître, et ne laisse rien à désirer. L'écrivain expose les variétés de l'affection morbide, ses diverses périodes, ses complications ; il raconte dans quels pays, dans quelle classe, quelle profession, elle sévit particulièrement ; et ces préliminaires du traitement conduisent le lecteur jusqu'aux derniers feuillets du volume. Mais pour le traitement lui-même, qui est la chose la plus importante, la chose essentielle, il consacre à peine deux ou trois pages, quelques lignes ; et tout est dit.

Saignées, sangsues, diète, laitage, boissons délayantes, lavements émollients, cataplasmes *idem,*
et, si le mal résiste à ces moyens, révulsifs à la
peau, vésicatoires, etc.

On ferme son livre, péniblement affecté en pensant à combien peu de chose se réduit l'art du
médecin.

Il y a vingt-cinq ou trente ans, quand régnait
sans conteste la doctrine de l'inflammation, l'é-
cole n'enseignait pas d'autres remèdes pour combattre la plupart des maladies qui affligent l'espèce humaine.

Qu'on eût affaire à un vieillard ou à des ado-
lescents, à un homme replet ou à quelque individu
amaigri, d'un tempérament délicat, c'étaient toujours l'eau de gomme et les sangsues.

Hippocrate se plaignait de la brièveté de la vie,
qui ne lui permettait pas de cultiver avec succès
toutes les branches de la médecine; et voilà qu'a-
près trois mille ans, grâce au génie de Broussais,
un modeste infirmier pouvait se vanter de savoir
traiter les trois quarts des maladies aiguës, s'il avait
suivi la visite d'un docteur pendant quelques semaines.

Alors les névrôsés d'estomac passaient pour des

maladies imaginaires ; on s'en moquait comme des vapeurs de petites maîtresses.

Toutes les douleurs gastriques, les digestions laborieuses étaient réputées des symptômes de l'inflammation d'estomac, de la *gastrite*.

Les serrements à l'épigastre dont se plaignent des femmes nerveuses, abreuvées de chagrin, *gastrite*.

Les crampes, les tiraillements chez de jeunes hommes qui ont enduré les aiguillons de la faim, ou auront quitté la campagne pour devenir artisans, *gastrite*.

La *gastrite* était le roi, le tyran de l'époque, le fléau de l'humanité.

Sans doute, quelques praticiens refusaient de mépriser ce que leur avait légué l'expérience des siècles, de répudier l'héritage de leurs devanciers. Ils objectaient avec raison que la gastrite s'accompagne d'une langue sèche, avec soif, de la fièvre, de défaut d'appétit, de dépérissement, tandis que, dans les affections d'estomac dites nerveuses, on remarque une langue humide et épanouie, absence de soif et de fièvre, continuation de l'appétit, et, chez quelques malades, un teint naturel et même de l'embonpoint.

Les savants à système, comme les hommes de parti, ferment les yeux à la lumière pour ne point voir ce qui contrarie leurs idées favorites.

On traitait les médecins observateurs de routiniers, incapables de se débarrasser du bagage classique et de comprendre les bienfaits de la doctrine nouvelle. On leur répondait par l'ironie, les sarcasmes; mais la nature, qui ne se plie pas complaisamment aux besoins des systèmes, se chargeait de les venger. Bien des gastralgiques souffraient plus de l'effet des remèdes que de leur maladie primitive. Dupuytren, Barras n'ont-ils pas cité une foule de ces infortunés que la diète et les sangsues avaient conduits aux portes du tombeau, d'où ils les avaient retirés par une alimentation tonique et les secours de l'hygiène.

Il a fallu qu'un docteur, imbu lui-même des idées du jour et atteint d'une névrôse gastrique, ait failli périr victime de ce traitement banal et funeste, pour démontrer enfin que la science faisait fausse route et dessiller les yeux de ses confrères.

Presqu'au même temps, l'homéopathie est venue publier ses cures dans la même classe de maladies, cures obtenues bien plutôt par son régime

fortifiant, les bifteaks, etc., qu'au moyen des globules et prises souvent inertes, administrées à
dose infinitésimale.

Alors il a été évident pour tous que la gastralgie n'est point un mythe; qu'elle diffère essentiellement de l'inflammation de l'organe, et, partant, que son traitement doit varier aussi.

L'exemple des docteurs précédemment nommés
a fait croire au grand nombre que, pour rétablir
les fonctions digestives, il suffit de se nourrir de
bouillon gras, d'œufs, de viandes; mais l'erreur
n'a pas été de longue durée : on n'a pas tardé de
s'apercevoir qu'il est besoin le plus souvent de recourir aux médicaments.

Bientôt plusieurs ont annoncé le magister de
bismuth. Les nombreuses observations citées à
l'appui ne permettent pas de révoquer en doute
son efficacité dans certains cas, mais dans bien
d'autres ce sel est sans vertu.

Quelques-uns ont eu l'idée de le prescrire
concurremment avec la magnésie, parce que
des malades se plaignent d'avoir des aigreurs
et des glaires : ce mélange n'a pas rempli leur
attente.

D'autres, considérant la gastralgie comme un

effet de la débilité, d'un commencement de paralysie d'estomac, ont administré la strychnine;
mais les soubresauts, les secousses imprimées par
ce remède le long du tube digestif accroissent son
éréthisme quand il existe, et peuvent le produire
s'il y a atonie.

Plus récemment, les trompettes de la publicité
ont annoncé les *merveilles* de la graine de moutarde blanche et de la poudre de charbon de peu-
plier. Soudain les malades qui languissaient,
toujours à l'affût des nouveaux médicaments, ont
fait irruption dans la boutique de ces marchands
de charbon et de moutarde.

Ce dernier remède est un laxatif assez peu puissant. Il soulage les personnes chez qui la constipation entretient l'affection de l'estomac; mais
comme d'ordinaire la paresse intestinale n'est
qu'un effet de la langueur des digestions, on
comprend que les cas où il réussit ne sont point
les plus nombreux. En outre, on doit l'essayer
avec précaution, parce qu'il irrite les estomacs
délicats, très-susceptibles. La poudre de charbon
a la propriété d'absorber les gaz, les glaires et les
mucosités tapissant la face interne des organes
digestifs.

Pour l'administration de ce moyen, on doit faire la même recommandation que pour la graine de moutarde blanche. C'est aussi un *excitant,* qui rencontre quelquefois ses indications. Bien des fois essayé dans quelques maladies internes, et toujours abandonné, il est d'ailleurs trop désagréable pour obtenir la vogue et conserver beaucoup de partisans.

Il a une vertu astringente et guérit certaines diarrhées; mais on aime mieux en général le remplacer par d'autres astringents qui déplaisent moins et sont aussi efficaces.

Découragés par les insuccès, par l'infidélité de ces médicaments proclamés tour à tour spécifiques, infaillibles dans la *gastralgie,* bien des médecins, au retour de la belle saison, envoient leurs névralgiques à la campagne, et mieux aux eaux de Vichy, de Plombières ou à quelque autre source en réputation, espérant que le changement d'air, d'habitudes, de régime, joint à la vertu des eaux, apportera une modification avantageuse à l'état morbide des nerfs, et rétablira une santé qu'on avait demandée en vain à la pharmacie.

La plupart des eaux minérales sont des remèdes

actifs, et par là même capables de nuire quand elles sont mal choisies ou administrées à contre-temps.

Certes, il n'est point indifférent de faire prendre à un gastralgique les salines, ou les gazeuses aci-dulées, ou bien les sulfureuses.

Tel revient de Vichy exaltant la puissance de la source qui a fait disparaître ses douleurs gastral-giques et se félicitant de son voyage, qui n'aurait point vu son état s'améliorer à Plombières, et se serait repenti amèrement d'avoir bu les eaux de Bagnères, de Cauterêts ou d'Uriage.

MM. les inspecteurs, dans la nomenclature des maladies qu'ils voient guérir à ces divers établissements, signalent néanmoins la *gastrite chronique*, la gastralgie, l'entéralgie et d'autres affections nerveuses, et le témoignage d'hommes éclairés et consciencieux ne saurait être révoqué en doute; mais ce qu'ils ne font pas, et ce qui se-rait bien important, c'est de déterminer la vertu particulière de leurs sources, quelles indications elles sont appelées à remplir, dans quelles con-ditions doivent se trouver les malades pour obte-nir du soulagement ou une guérison radicale.

Depuis quelques années, les gens de l'art font

de louables efforts pour arriver à cette connaissance nécessaire, afin de savoir tous les services
que l'humanité est en droit d'attendre de ces médicaments naturels qui sortent de terre formés et
mélangés spontanément dans une foule de localités, et qui, grâce aux moyens de locomotion devenus si rapides et si commodes , seront bientôt à
la portée du plus grand nombre, et cesseront
d'être le partage des malades favorisés de la fortune.

En lisant la notice des eaux minérales par les
médecins qui président à leur administration, les
malades qui languissent s'épanouissent de joie et
d'espérance; ils croient que les *eaux* sont un remède universel qui détruit toutes les affections
rebelles et réputées incurables, une panacée qu'ils
ont eu le malheur de ne pas connaître plutôt, et
dont on a grand tort de ne pas publier au loin
les merveilles.

Ils partent avec confiance ; mais si le succès ne
répond pas à leur attente, s'ils rentrent dans leur
famille avec les mêmes infirmités, vous les en-
tendez nier formellement la vertu de ces eaux tant
vantées, prétendant que ceux qui y trouvent du
soulagement le doivent à l'air des montagnes, à

6

la vie libre, exempte de soucis, à tous les plaisirs qui s'offrent aux baigneurs étrangers.

Ils déclament contre les inspecteurs, qu'ils traitent d'industriels, s'appliquant à faire mousser leurs eaux afin d'y attirer le plus de buveurs possible. Leur bile s'exhale aussi contre leur médecin qui les a envoyés là de même qu'à la campagne, parce qu'il n'a plus de médicament à leur conseiller, et pour se débarrasser de leurs plaintes importunes.

Voilà comme les nombreuses vertus d'un remède, proclamées avec complaisance, sans restriction, sans distinction aucune, nuisent à la réputation de ce remède, et pourront le faire tomber dans le discrédit et un oubli général. Voilà comme les éloges outrés et intéressés trompent la confiance des malades qui sont disposés à faire tous les sacrifices pour recouvrer la santé, mais qui s'indignent avec raison que leur malheur soit exploité par l'industrialisme.

Il y a plus de vingt-cinq ans, feu le docteur Barras publia un traité sur les gastralgies et les entéralgies, dans lequel il s'appliqua à prouver que le trouble des digestions, les souffrances de l'estomac ont pour cause ordinaire non point l'in-

flammation, la *gastrite*, mais une perversion de
la sensibilité dans les nerfs de cet organe, une
lésion vitale, purement nerveuse, en d'autres
termes, la *gastralgie*.

L'histoire détaillée de ses douleurs gastriques,
et celle de bien d'autres malades, convainquirent
les plus incrédules de la vérité de ce principe;
elles démontrèrent en même temps combien était
funeste aux névralgiques le système de Broussais,
qui expliquait toutes les maladies par l'irritation inflammatoire, et n'indiquait pas d'autre traitement
que les sangsues, la diète lactée, les boissons délayantes ou mucilagineuses.

Ces remèdes dits *antiphlogistiques* aggravent la
gastralgie en affaiblissant et épuisant l'individu,
et font irradier les douleurs aux parties voisines,
au dos, aux épaules, sur les parois de la poitrine,
au cœur, au cerveau, etc.

En lisant les observations de Barras, on ne
peut s'empêcher de déplorer le malheur de tant
d'infortunés qu'on avait condamnés à subir une
médication évidemment pernicieuse; comme aussi
l'on s'étonne, on regrette amèrement que les gens
de l'art aient continué dix ans à nuire aux gastralgiques, tout en croyant remédier à leurs maux.

Quand on se conduit d'après des idées préconçues, enthousiasmé par un système, la passion aveugle, et on reste sourd aux démentis de l'expérience.

Le livre de Barras ne contribua pas peu à détrôner l'erreur enseignée dans les écoles, à faire tomber l'idole à laquelle sacrifiaient en général tous les médecins d'alors, fascinés qu'ils étaient par l'exemple et les paroles du maître, séduits peut-être par la simplicité de la méthode, que la paresse accueille avec bonheur.

Mais il ne suffit pas de montrer au voyageur quand il s'égare, il importe encore de le ramener dans sa véritable route. L'écrivain apprenait ensuite quels remèdes lui avaient réussi à rendre la santé à tous ces patients, exténués par les spoliations sanguines.

D'abord il passait en revue les divers symptômes de la *gastralgie,* si différents de ceux de la *gastrite,* énumérait ses causes, qui ne diffèrent pas moins, et abordant le traitement, il distinguait deux variétés de gastralgie, celles par éréthisme et celles par atonie, c'est-à-dire ayant pour cause une vive irritation ou bien le relâchement du viscère. De là deux sortes de médicaments : contre la première, les calmants, en particulier l'opium ; contre la

seconde, les toniques, savoir, le fer, le quinquina, tous les amers, l'extrait de glands de chêne
torréfiés, les bains frais, l'exercice, l'air de campagne surtout, et une alimentation analeptique,
de plus en plus substantielle.

Une méthode ainsi annoncée paraît très-facile
à suivre. Mais l'auteur était trop judicieux, il avait
acquis trop d'expérience pour ne pas observer que
très-souvent dans la pratique il est difficile de
déterminer *à priori* si l'on a affaire à l'atonie ou
à l'éréthisme, et il recommandait d'essayer les
remèdes avec précaution, de tâtonner pour ainsi
dire, jusqu'à ce qu'on ait reconnu l'état précis de
l'organe affecté.

Enfin, comme l'atonie s'accompagne fréquemment d'une grande susceptibilité nerveuse, il
ajoutait qu'il convient d'administrer les toniques
mêlés aux adoucissants, et lui-même choisissait le
sirop d'écorce du Pérou coupé avec le sirop de
morphine.

L'ouvrage de Barras opéra une révolution dans
la science.

Chacun se flattait de posséder enfin des moyens
sûrs pour triompher d'un mal opiniâtre, réfrac-
taire aux remèdes connus.

On ne serait plus condamné à entendre éter-
nellement les plaintes des malheureux patients,
et le nom de Barras devait être celui d'un nouveau bienfaiteur de l'humanité.

L'événement a-t-il justifié les prévisions? A-t-on
conservé pour l'auteur du *Traité des Gastralgies*
les sentiments d'admiration et de reconnaissance
que son livre avait inspirés tout d'abord?

La description isolée d'une maladie n'est pas
difficile à comprendre et à retenir, non plus que
les médicaments désignés pour la combattre. Mais
la théorie est si peu de chose à côté de l'application! Et dans les maux de nerfs, dont les symptômes et les sympathies sont nombreux et quelquefois bizarres, où l'on rencontre souvent des
anomalies et des complications, il n'est pas aisé
à tous de discerner si l'estomac éprouve seulement une lésion nerveuse, où s'il est affecté en
même temps d'accidents d'une autre espèce, si
les nerfs souffrent essentiellement ou bien par
une autre maladie.

La présence des vers dans l'intestin peut occasionner des convulsions chez les enfants; telle
femme accuse une névralgie dentaire ou temporale qui la tourmente pendant l'acte de la diges-

tion, laquelle est d'ordinaire lente et laborieuse; tel individu se plaint de vives douleurs de tête accompagnées de nausées et d'inappétence, et cette céphalalgie, cette névralgie disparaissent sans retour quand les fonctions de l'estomac sont rétablies.

Enfin, si l'on est assez heureux pour bien asseoir le diagnostic, remarquer les complications, séparer la gastralgie de ce qui n'est pas elle, a-t-on le même bonheur pour choisir le médicament le mieux approprié, la dose et la préparation convenables : car il n'est point indifférent d'administrer tel ou tel tonique, de faire prendre le quinquina en décoction ou en sirop, ou la poudre de cette écorce mélangée à de la confiture, ou dans du sirop calmant, aromatique.

Il y a plus, dans les affections nerveuses, tel remède guérit l'un, qui se montre inutile et même dangereux pour d'autres.

Nous nous rappelons avoir donné des soins à un homme de quarante-quatre ans, de forte corpulence, bottier de profession, lequel, depuis six mois, endurait des crampes d'estomac après chaque repas : un simple bouillon d'herbes lui donnait des angoisses. Son teint était bilieux, jaunâtre; il assurait avoir beaucoup perdu de ses forces, et était obligé de renoncer à son travail.

Un peu de *sous-carbonate de fer* dans de la conserve de roses liquéfiée par du sirop diacode fit merveille dès la première semaine.

Les douleurs disparurent comme par enchantement, la figure s'épanouit, M. M*** augmenta tous les jours impunément la quantité de la nourriture, et après une huitaine il reprit ses occupations.

Alors fut prescrit un second opiat où l'on remplaça le sirop calmant par du sirop d'écorce du Pérou (quina).

La première cuillerée à café réveilla les douleurs, les digestions se troublèrent de nouveau; on continua deux jours, mêmes souffrances. Alors on revint au premier opiat, et le soulagement fut immédiat; en augmentant graduellement la dose de poudre ferrugineuse, le malade guérit très-bien au bout de deux mois et dit adieu à la médecine.

Ainsi quelques gouttes du sirop de quina, que tant d'autres supportent aisément par trois et quatre cuillerées à bouche par jour, exaspéraient la gastralgie au lieu de la détruire.

Voilà de ces effets bizarres, de ces anomalies qu'il est impossible de prévoir ; M. M*** était un homme aux larges épaules, avec toutes les apparences d'une complexion robuste, sans aucun de ces mouvements brusques, saccadés, qui démontrent la vivacité des impressions ; l'épigastre n'était douloureux que pendant les heures du travail digestif ; hors de là il n'était pas senti. Les toniques nous parurent indiqués ; mais le sous-carbonate de fer, à la dose de un à deux grammes par jour, devait seul avoir l'honneur de la cure.

Autre exemple d'une autre espèce.

M. R***, marchand tailleur à Lyon, galerie de l'Argue, souffrait depuis huit ans de mauvaises digestions. Il n'avait que trente-cinq ans, et il tenait l'estomac renfoncé, marchait courbé comme un vieillard. Se chargeant lui-même de la coupe des vêtements du magasin et travaillant ainsi debout, il se voyait obligé de s'asseoir presque toutes les heures, à cause de la faiblesse des reins et des jambes ; et après s'être reposé trente à quarante minutes, il reprenait les ciseaux.

Longtemps il avait suivi les conseils de plusieurs docteurs recommandables ; mais découragé par leur insuccès, il se résignait depuis plusieurs mois à vivre avec son mal.

Les instances d'un ami le décidèrent à venir s'adresser à nous.

Déjà il était arrivé au quinzième jour du traitement sans changement aucun, en usant d'un électuaire au quina qu'il prenait à la dose d'un gramme dans les vingt-quatre heures. Le remède passait inaperçu, mais n'opérait aucun bien. Nous doublâmes la dose, et dès le lendemain il y eut un mieux remarquable : la digestion était moins longue, le sommeil auparavant troublé devint calme, naturel, et aux malaises du matin succéda un bien-être inconnu.

Bientôt M. R*** prenait dans la huitaine jusqu'à vingt grammes de la poudre tonique, et après quelques semaines il se trouva si heureux qu'il voulut nous laisser un témoignage de sa reconnaissance.

Ce malade, amaigri, exténué, ne paraissait pas de prime-abord devoir supporter aussi bien que le précédent les fortifiants actifs : l'événement prouva le contraire.

Ces deux exemples, choisis entre mille, sont une preuve de plus qu'il est besoin, comme l'a écrit

Barras, de tâtonner souvent pour découvrir le remède qui convient à tel ou tel individu affecté de
gastralgie.

Le spécialiste qui a étudié particulièrement une
classe de maladies, qui les traite tous les jours,
s'est familiarisé avec toutes leurs variétés, leurs
complications et les diverses manières de les combattre, ne se laisse point décourager parce qu'il
aura vu échouer deux ou trois médicaments qui
lui paraissaient indiqués. De même qu'il n'affronte
pas les maladies avec une confiance aveugle, de
même il n'est point abattu par un revers. Il ne
désespère de la victoire qu'après avoir perdu, vu
succomber son malade.

Mais en est-il de même de ceux dont l'esprit est
forcément distrait par une application successive
à toutes les affections morbides qui se rencontrent
dans leur clientèle ?

Peu après l'apparition du livre de Barras, on
entendit des plaintes. Quelques-uns allaient disant que, sans aucun doute, l'auteur n'avait pas
dit son dernier mot, qu'il s'était gardé de révéler
le secret de certains remèdes au moyen desquels
il avait obtenu les nombreuses cures publiées.
Eux-mêmes avaient administré l'opium, le fer, le

quinquina, et la gastralgie n'avait pas disparu...

Et que dut-on penser douze ou quinze ans plus tard, quand Barras annonça, dans la deuxième édition de son ouvrage, que sa longue pratique lui avait appris combien souvent dans les affections nerveuses du canal digestif les médicaments sont inutiles, et même pernicieux, et qu'à l'hygiène seule il appartient de les guérir d'une manière complète?

Cette proposition, formulée en termes généraux, accueillie sans réflexion, a retardé de beaucoup les progrès de la science, et découragé profondément.

Depuis cette époque, le grand nombre craignant de nuire par des médicaments, se contentent de recommander un régime substantiel, de l'exercice, les distractions, et de ne pas s'inquiéter de la maladie, ajoutant qu'elle laisse vivre, et n'empêche pas de parvenir à un âge avancé : espoir peu consolant !

Le caractère honorable du docteur Barras ne permet pas de révoquer en doute sa sincérité et sa bonne foi ; mais il ne faut pas oublier non plus que la plupart de ses malades avaient été affaiblis, épuisés par la diète lactée et les évacuations sanguines, que la faim et les sangsues à l'épigastre, augmentant la susceptibilité, l'irritabilité de l'estomac, tout ce qui n'est pas aliment doux risque de l'offenser, comme aussi il suffit alors de réparer les forces pour diminuer tous les symptômes et faire disparaître insensiblement la gastralgie.

- Mais si plus tard un excès, des peines morales occasionnent une rechute, quand le corps ne réclamera plus une alimentation succulente, le médecin sera-t-il condamné à rester les bras croisés, spectateur muet, sans posséder aucun remède pour calmer les douleurs ?

Et tous ces gastralgiques, habituellement bien nourris, qui ont de l'embonpoint et s'observent minutieusement, les abandonnerez-vous? les déclarerez-vous plus difficiles à guérir que s'ils étaient exténués et plus souffrants?

Si l'opium, le quinquina et les autres médicaments conseillés n'ont pas obtenu tout le succès promis, c'est qu'ils n'ont pas été administrés avec autant de précaution et dans les mêmes circonstances.

Il ne suffit pas au guerrier de porter un glaive pour vaincre son ennemi; il importe surtout de savoir s'en bien servir, de le diriger aux parties vulnérables, aux défauts de l'armure.

L'opium, le quinquina sont des armes puissantes dans les mains de qui sait les manier. L'illustre Sydenham, dont l'Angleterre s'honorera longtemps, et qui a écrit sur l'hystérie, l'hypocondrie et d'autres affections nerveuses, déclarait qu'il renoncerait à la médecine plutôt que de renoncer à l'opium. Le célèbre Tissot, de Lauzanne, dans son *Traité des maux de nerfs*, appelle le quina un remède divin. Mais c'est la liqueur qui ranime et qui peut enivrer; c'est le soleil qui vivifie et qui brûle, suivant la saison.

Est-on excusable de nier la vertu d'un remède et de le repousser à cause de ses inconvénients?

Dans certaines dispositions du cerveau et des nerfs, la saignée amène le délire et la folie : a-t-on néanmoins proscrit la lancette de l'usage médical?

Dans les fluxions de poitrine, la saignée sauve tous les jours des malades; mais n'accélère-t-elle jamais la mort, quand elle est pratiquée trop tard ou pendant une crise, et chez des sujets éminemment nerveux?

C'est l'à-propos du remède qui fait sa vertu, et qui fait le médecin.

Tous les médicaments prônés tour à tour contre la gastralgie n'ont eu qu'une vogue éphémère, et ils sont tombés ensuite dans le discrédit, parce qu'ils ne triomphent pas toujours de la maladie, comme le soufre de la gale, et le mercure de la syphilis; mais, sans parler de leurs autres différences, la gale et la syphilis sont deux affections spéciales de la peau, engendrées chacune par une cause unique, toujours la même; et nous avons vu que cent causes diverses peuvent produire les névrôses d'estomac. Or, le traitement doit varier avec un grand nombre de ces causes, et souvent la gastralgie disparaît quand la cause n'existe plus.

Des villageois souffrent de mauvaises digestions parce qu'ils se nourrissent exclusivement de laitage, de choux et de farineux, ne buvant que du cidre et de la bière. Si le mal n'est pas très-intense ni très-chronique, ils guérissent en passant à un régime substantiel, au bouillon gras, aux œufs et à la viande, sans avoir recours à la pharmacie.

Un jeune conscrit va rejoindre le régiment dans

lequel on l'a enrôlé. Après quelques mois, il se
prend à regretter sa famille et son hameau : alors
la ration qu'il trouvait insuffisante dans les premiers temps lui paraît trop copieuse; le peu d'a-
liments qu'il avale pour se soutenir lui occasionnent une constriction douloureuse à l'épigastre.

Mais voilà que la guerre est déclarée, et les
troupes se mettent en campagne : les distractions,
la fatigue de la marche, des préoccupations nouvelles font oublier la préoccupation précédente;
le chagrin du pays et la gastralgie ont disparu.

De son côté, la bonne mère qui supportait patiemment l'absence de son fils, parce qu'elle avait
de ses nouvelles, ne recevant plus de lettres, s'attriste, s'inquiète et perd l'appétit. Plusieurs mois
s'écoulent : on a livré des combats meurtriers;
d'autres militaires ont écrit à leurs parents de la
même localité, et elle n'entend point parler de
son enfant; il aura succombé, péri misérablement
dans quelque hôpital ou sur un champ de ba-
taille; et elle se désole, et les digestions deviennent
extrêmement longues et pénibles.

L'armée rentre dans ses cantonnements, et il
arrive enfin une lettre : le jeune soldat a échappé
à tous les dangers, il se porte bien. La joie

inonde le cœur de la pauvre mère, ses yeux se remplissent de larmes, et elle ne souffre plus de l'estomac.

Ici encore l'apothicaire n'a pas eu de drogues à préparer.

Dans ces trois exemples, et dans une foule d'autres, la cause était comme l'épine, comme la balle enfoncée dans les chairs, qu'on s'empresse de retirer pour voir guérir la blessure ; mais dans bien d'autres, l'aiguillon enlevé, la plaie continue d'être béante, et réclame un traitement.

Telle a besoin d'adoucissants, telle de stimulants, celle-ci réclame les toniques ; et parmi les agents des médications adoucissante, tonique ou stimulante, il y a un choix à faire ; la dose varie également, ainsi que la forme, la préparation du remède.

Comment donc espérer de rencontrer jamais un spécifique de la gastralgie, le dictame qui cicatrise toutes les blessures, toutes les lésions nerveuses de l'estomac ?

On essaierait tour à tour, si cela n'a déjà été fait, les médicaments que fournit la nature dans les trois règnes, et les minéraux que la chimie a découverts ou utilisés, et les simples de la botanique,

7

et les antispasmodiques du règne animal, musc, assa-fœtida, castoréum, qu'on ne serait point satisfait.

Dans la seconde moitié du XVIIIe siècle, où l'on s'occupait beaucoup de maladies *vaporeuses*, sans doute parce que le relâchement des mœurs les avait multipliées outre mesure, il ne régnait pas plus d'union, d'accord dans la manière de les traiter, qu'on n'en rencontre aujourd'hui.

Il y avait plusieurs systèmes en présence, et chaque médecin se rangeait sous les drapeaux du chef qui avait ses sympathies.

Tronchin, qui exerçait à Paris, ne prescrivait que les fortifiants, les astringents et les volatiles, avec l'exercice et une alimentation succulente.

Borden énumérait les cures opérées par les eaux de l'Aquitaine, dont les Borden père, fils, etc., étaient les inspecteurs privilégiés.

Les diverses sources de Cauterets, de Bonnes, de Saint-Sauveur, et surtout de Bagnères sur l'Adour, étaient spécialement conseillées contre les désordres de l'appareil digestif.

Pomme, qui croyait au *raccornissement* des nerfs, abreuvait ses névralgiques d'eau de poulet ou de veau, et tous les jours les baignait dans l'eau tiède trois à quatre heures durant. Son régime était doux et analeptique.

Pratiquant à Arles, dans le midi, où les névrôses par éréthisme sont de beaucoup les plus fréquentes, et ayant été bien des fois témoin des accidents causés par les fortifiants exclusifs, il avait obtenu de nombreux succès par la méthode opposée.

Fougueux de caractère, intolérant comme tout systématique, il allait jusqu'à nier les guérisons publiées par ses adversaires; il qualifiait d'incendiaires les médicaments toniques et les eaux thermales, salines, sulfureuses, proscrivait aussi les antispasmodiques, et par dérision les appelait la *médecine puante*.

Malgré l'erreur évidente de sa théorie qui assimilait à des cordes vibrantes les cordons nerveux, dont la pulpe médullaire, comme celle du cerveau, est toujours molle et friable, ce docteur-régent, par son assurance et les guérisons racontées dans son *Traité des Vapeurs*, avait étendu au loin sa réputation et attiré à lui une grande clientèle.

Tissot, de tous le plus habile, aimait trop l'humanité pour songer à sa propre gloire, et était trop éclairé, trop judicieux pour adopter un système exclusif. C'est lui qui a écrit : « Il n'y a point de maladies qui dépendent d'un plus grand nombre de causes différentes que les maux de nerfs, et il n'y en a point qui exigent par là même des traitements plus variés. »

Et ailleurs : « Les maux de nerfs tiennent à tous les autres maux, et leur tractation est intimement liée à tout ce qu'il y a de plus difficile dans la théorie et la pratique de la médecine. »

Dans son ouvrage sur les maux de nerfs, il s'appliqua à déterminer la vertu, à préciser les indications des nombreux remèdes qu'il mettait à contribution, de la saignée, des évacuants, des amers, des martiaux, des volatiles, des calmants, des acides, des gommes, des adoucissants, des laits, du petit lait, des bains, des eaux thermales, de l'aimant et de l'électricité, des frictions, de la musique, etc.

A la vérité, Tissot traitait des maux de nerfs en général. S'il eût écrit en particulier sur la gastralgie, il n'aurait pas sans doute fait mention d'autant de médicaments ; il se serait abstenu spécialement des acides, des gommes, des volatiles et autres irritants, lesquels trouvent leur indication dans les défaillances, les vapeurs hystériques, etc.

Un individu qui souffre de l'estomac vient se
présenter à vous : faut-il vous empresser tout d'a-
bord de l'interroger de manière à couper son récit, l'obliger à répondre brièvement à vos questions, comme on fait dans un hôpital, dans ces
salles de soixante à quatre-vingts lits, où une demi-
journée suffirait à peine pour entendre les dires,
les doléances de chacun des patients?

Le névralgique éprouve le besoin de raconter à
son aise toutes ses douleurs, de faire part de ses
peines sans être interrompu par une voix impor-
tune. Il veut trouver dans son médecin un homme
bienveillant, un ami qui sait compatir, l'écoute
patiemment, dont la douceur, la commisération
lui ouvrent le cœur, le consolent et gagnent sa confiance.

Si vous avez affaire à une maladie aiguë, à
quelque inflammation, vous découvrez la nature
de la lésion, le siége de la phlegmasie, surtout par
l'état du pouls, le contact de la peau, l'inspection
de la face et de la langue, en palpant la région
du mal, les parois du viscère endolori : il n'en est
pas de même dans les affections chroniques, et

surtout dans la gastralgie. Beaucoup n'accusent
pas de vives douleurs à l'épigastre : c'est une
incommodité, une pesanteur qui ralentit la digestion; quelquefois la douleur se manifeste au
cerveau, il y a un serrement, des palpitations au
cœur, ou des tiraillements au foie, etc. A moins
d'être bien familiarisé avec cette classe de maladies, de savoir parfaitement interpréter l'état de
la langue, qui est l'image de l'état de l'estomac, il
n'est point difficile de se tromper.

Mais il y a dans le ton, dans les expressions
exagérées, pittoresques du névralgique, dans toute
sa manière de narrer, ce je ne sais quoi, qui
une fois remarqué ne vous échappera plus, et
vous fera discerner si vous êtes en présence
d'une névrose.

Les auteurs sont embarrassés pour définir
l'hypocondrie, pour en tracer les caractères. En-
tendez deux minutes un hypocondriaque, vous
saurez mieux vous rendre compte du mal qu'il
endure qu'après en avoir lu et relu la description détaillée dans trois ou quatre pages. L'air
impatient, la physionomie inquiète, le mécon-
tentement intérieur, son peu de foi dans la médecine, sa peur de mourir, son ardent désir de

trouver un remède efficace, tout cela perce dans
son récit. Il est vrai que fort peu exposent méthodiquement et l'origine du mal et la cause pro=
bable, quels remèdes ont été administrés et leurs
effets divers; ils sautent de l'estomac à la tête,
pour revenir de la tête à l'estomac, brouillent en=
semble tous les symptômes, et se lancent dans des
détails oiseux qui vous éloignent de l'objet principal. De la part de gens qui souffrent des nerfs,
il faut s'attendre à tout ce décousu d'idées, à cet
embrouillamini bien propre à décourager, à las-
ser la patience de l'auditeur. Eh bien, quelques
questions vous apprennent ensuite ce que leur
histoire vous laissait ignorer; et vous aidant des
symptômes physiques, rationnels, vous avez la
satisfaction de bien connaître tout à la fois et le
mal et l'individu. En outre, votre bonté, votre
patience, ont été comme un baume sur la blessure du malade; il a trouvé quelqu'un qui sait
le comprendre, il s'en retourne heureux, soulagé
d'un fardeau, il se croit déjà à moitié guéri. De
fait, la nature chez lui est bien disposée à réagir
favorablement : il a reçu le premier remède, le
remède moral, qui aide l'action des médicaments.

Ayant reconnu l'existence de la gastralgie, il importe d'observer si elle est isolée, ou si par hasard elle se complique d'une autre maladie.

Tel depuis longtemps se plaint de mauvaises digestions, et éprouve depuis peu des symptômes qui ne lui sont pas habituels : la langue est chargée, la bouche mauvaise; il a de l'inappétence, des envies de vomir, en un mot, un embarras gastrique.

Tel autre est fatigué d'un gros rhume, d'une *bronchite* intense : la toux, en ébranlant la poitrine et l'abdomen, aggrave la faiblesse nerveuse de l'estomac.

Celui-ci, après une indigestion ou quelque refroidissement, ressent une vive cuisson à l'épigastre. La langue, auparavant blanche et humide, est devenue sèche et animée; la soif est continuelle : c'est une *gastrite* entée sur la gastralgie.

Celui-là, à l'époque du printemps ou dans les derniers jours de l'été, a été pris des accès d'une fièvre intermittente, etc., etc.

Que faire dans ces cas, et dans d'autres analogues? Evidemment courir au plus pressé; attaquer l'affection aiguë avant de combattre la maladie chronique, imiter les architectes qui ont soin de faire déblayer le terrain avant de creuser les fondations d'un édifice ; mais, dans le traitement que réclame la lésion accidentelle, choisir les remèdes les moins actifs, les moins contraires à la gastralgie.

Ainsi, contre le rhume, être plus sobre de tisanes et de sangsues, et, l'état fébrile passé, éviter les boissons, user de lait de poule le matin ou le soir, et, dans la journée, de pâtes pectorales.

Contre l'embarras gastrique, essayer d'abord un ou deux laxatifs, avec quelques tasses d'infusions délayantes. Si, après peu de jours, ces moyens sont trouvés insuffisants, recourir à l'ipécacuanha, en s'abstenant du tartre émétique, des éméto-cathartiques.

Contre la fièvre intermittente, administrer le sulfate de quinine mélangé avec opium.

Enfin, traiter la gastrite par les évacuations sanguines modérées, de l'eau de gomme et une diète moins sévère.

Hâtons-nous d'avertir que ces complications ne sont point communes, et même qu'elles forment une exception. Les individus qui ont le système nerveux délicat sont moins sujets que tous autres à contracter les maladies bilieuses, inflamma-

— toires, etc.; il semble que leurs nerfs attirent tout
à eux. L'humidité, qui occasionne la pleurésie,
le catarrhe, les douleurs du rhumatisme, etc., n'a
d'autre effet chez eux que d'exaspérer la gastralgie
et les vapeurs hypocondriaques. Ils séjournent
impunément dans les localités ravagées par une
épidémie, par la fièvre typhoïde, etc.; et s'ils se
dévouent à soigner quelqu'une des victimes, ils ne
sentent point leurs nerfs, et se trouvent mieux portants que dans leurs occupations habituelles : ils
s'oublient alors pour ne songer qu'à ceux qui leur
sont chers, et cette préoccupation leur est un
puissant remède.

Il n'est point rare que des névropathiques arrivent à un âge avancé, toujours plaignants, toujours valétudinaires, mais sans avoir eu à subir
aucune de *ces affections morbides qui peuplent les
hôpitaux.*

Après avoir éloigné la complication, s'il s'en
rencontre, le praticien doit observer si la gastralgie est essentielle, indépendante, ou si elle
n'est que l'effet d'une autre maladie. On sait
quelles sympathies existent entre l'estomac et le
cerveau, entre l'estomac et la matrice. Ces derniers

viscères étant lésés, dérangent d'ordinaire les fonctions digestives. Citons un exemple : Madame E***, âgée de trente-neuf ans, d'une taille au-dessous de la moyenne, avec assez d'embonpoint et une complexion robuste, vient nous consulter pour des maux de cœur et des vomissements qui la prenaient tous les jours, après le dîner, depuis quelques semaines.

Comme elle n'avait pas le tempérament qui dispose aux accidents nerveux, nous l'interrogeâmes avec un soin particulier. Elle nous apprit qu'elle se trouvait incommodée en outre par certains malaises, par une pesanteur dans le bas-ventre. Nous constatâmes en effet un engorgement de l'utérus; et elle avait commencé à s'en apercevoir quelques mois auparavant.

Quelle en était la cause? Madame E*** était en proie à des chagrins domestiques depuis nombre d'années. La tristesse a pour effet de ralentir la circulation du sang, et l'organe de l'économie, relativement plus faible, est le plus disposé à devenir le siége d'une congestion. Cette femme approchait de l'âge critique, circonstance qui favorisait l'arrêt du sang dans le bassin.

Notre malade demandait avec instance à être

délivrée de ses vomissements. Nous prescrivîmes le sirop de morphine, et bientôt les aliments ne furent plus rejetés. Après dix jours, on cessa l'usage de ce remède, et l'on passa à celui des toniques, de l'écorce du Pérou à faible dose; nous conseillâmes un régime doux, analeptique, sans être très-substantiel, de l'exercice proportionné aux forces, les distractions que sa position permettait; enfin, tout ce qui pouvait faire diversion aux peines morales.

Après deux mois, madame E*** crut devoir s'arrêter là, digérant assez bien et se trouvant soulagée d'ailleurs. Elle se flattait que le temps achèverait la cure, l'engorgement ayant diminué ainsi que la pesanteur.

L'amélioration dura quelque temps; mais l'immobilité à laquelle était condamnée la malade, se trouvant obligée de pourvoir à ses besoins et de se livrer à un travail manuel assujettissant, et sans doute aussi cette affliction qui accompagne les revers de fortune, firent éclater de nouveau les mêmes symptômes, et bientôt une perte rouge. Madame E*** crut devoir s'adresser à un docteur en réputation pour traiter les maladies des femmes. Le nouveau médecin reconnut de suite l'affection utérine; mais tous les soins et les moyens curatifs les mieux indiqués furent infructueux. Alors on eut recours à l'homéopathie, qui promit d'emblée une guérison radicale. Mais le disciple d'Hannemann ignorait probablement l'état moral de cette femme, ou il oublia en ce moment que le chagrin peut ruiner les meilleures constitutions et empêcher l'effet de tous les médicaments, qu'il soient tirés de la boîte d'un homéopathe ou choisis dans l'officine des apothicaires.

Madame E***, exténuée par les hémorragies, tomba dans la fièvre lente et succomba dans le marasme.

Ici, la lésion de la matrice dominait celle de l'estomac, laquelle persista jusqu'à la mort, la première ayant résisté à tous les remèdes.

Les personnes affectées de la migraine observent la diète ou du moins se privent d'aliments solides, tant que dure la douleur au cerveau, et elles n'ont garde de traiter leurs malaises gastriques : elles sentent bien que ces derniers ont été produits par l'incommodité de la tête, et qu'ils disparaîtront avec elle.

Le plus souvent la gastralgie est une maladie

in dépendante, une maladie mère, contre laquelle
il faut diriger le traitement.

Mais elle n'est point une affection particulière
d'un nerf isolé, une névralgie de l'organe : pour
peu qu'elle soit chronique et intense, la douleur
s'irradie au dos, aux épaules, sur les parois de la
poitrine.

Tel gastralgique se plaint de vertiges, de pesanteur de tête; tel autre, de picotements à la gorge
qui provoquent la toux, d'oppression, de palpitations de cœur; celui-ci accuse des douleurs
au bas des reins, celui-là des tiraillements dans
la région du foie, des coliques hépatiques, avec ou
sans jaunisse, avec ou sans vomissements.

Telle femme parle surtout de ses malaises dans
le bassin avec une leucorrhée plus ou moins abondante; beaucoup ont une apathie, une lassitude
dans les membres, avec morosité, dégoût de la vie,
tendance aux larmes.

La gastralgie est une névrôse du centre épigastrique, une maladie générale des nerfs de la vie
de nutrition, et jusqu'à un certain point de tout
l'organisme.

Le cerveau et la moelle n'ont-ils pas des liaisons
intimes avec les nerfs ganglionnaires?

Un grand nombre de nerfs se ramifient à la surface de l'estomac, tapissant pour ainsi dire sa
membrane muqueuse; et c'est pour cette raison
qu'il est si impressionnable, si irritable, si délicat.

C'est l'estomac qui est chargé de manifester la
sensation de la faim commune à tous les viscères,
et il se trouve plus ou moins compromis dans tous
les cas où le système nerveux est affecté.

Les principales causes de la gastralgie sont l'é-
puisement et les peines morales.

L'abstinence altère le sang, en le dépouillant de
ses éléments réparateurs; un sang appauvri ne
nourrissant pas suffisamment, les nerfs que la
nature a chargé d'exprimer la douleur entrent en
insurrection; de là la gastralgie.

Dans les passions violentes, les aliments peuvent être rejetés par le vomissement, ou fuir par en
bas incomplétement digérés, suivis de la diarrhée
et des coliques.

Les ennuis serrent le cœur, dit le vulgaire; ils
opèrent une constriction à l'épigastre, laquelle ralentit les digestions et les rend douloureuses : d'où
à la longue amaigrissement, épuisement, etc.

Ces considérations sont importantes, parce
qu'elles démontrent la nécessité d'adresser le re-

mède non-seulement à l'estomac, mais à l'économie entière; elles expliquent la cause des revers
si fréquents dans le traitement des affections spasmodiques.

Elles sont difficiles à guérir, d'abord parce que
la multiplicité et la bizarrerie de leurs symptômes
donnent le change très-aisément sur leur siége et
sur leur nature; en second lieu, parce qu'il faut
traiter à la fois et le moral et le physique, et que
parmi les médicaments il importe de savoir choisir les mieux appropriés à l'état des nerfs souffrants, ainsi que la forme et la dose qui conviennent à l'estomac endolori.

L'erreur dans le diagnostic est parfois assez facile : c'est quand l'estomac semble à peine affecté,
et que la douleur est violente au cerveau, à la
poitrine ou ailleurs. Mais pour être aisée, elle n'en
est pas moins déplorable et funeste.

On nous permettra d'en citer quelques exemples.

M. B***, âgé de 31 ans, tempérament bilioso-
nerveux, complexion médiocre, ouvrier en soie à
la Guillotière (Rhône), apprit un jour qu'un de ses
parents, commerçant à Lyon, dans les mains duquel il avait placé ses économies, se trouvait mal

dans ses affaires. Il s'empressa d'aller s'en assurer, et les réponses du débiteur lui prouvèrent qu'on ne lui avait que trop dit la vérité.

Pendant l'entretien, il sentit un malaise général ; en regagnant son domicile, sa tête était lourde, douloureuse, la marche était vacillante. Il perdit l'appétit et ne put se remettre au travail.

Après peu de jours, la santé ne revenant pas, il appela un médecin de son quartier, lequel ayant entendu son récit, et remarquant une langue blanche, pâteuse, crut avoir affaire à un embarras des premières voies, et ordonna une purgation, du sulfate de soude dans une tasse de bouillon aux herbes. Ce sel irrita beaucoup : depuis ce jour, la digestion qui auparavant n'était pas sentie le faisait souffrir cruellement : il se tenait courbé, les traits crispés et la main appliquée sur l'épigastre pendant plusieurs heures après chaque repas. D'ailleurs le cerveau n'avait point été soulagé.

Après quinze jours, le 11 avril 1846, M. B*** se présenta dans notre cabinet, soutenu sous les bras par sa femme et une de ses sœurs.

« La tête l'emporte, nous dit-il en s'approchant, je ne pourrais marcher sans aide. »

8

Au chagrin d'avoir perdu son argent se joignait celui de la maladie : il était plongé dans une tristesse profonde, croyant à peine à la possibilité de la guérison.

Évidemment nous avions affaire à une affection spasmodique générale, avec symptômes prédominants au cerveau et à l'estomac, le purgatif ayant fait éclater la lésion latente du canal alimentaire.

Qui avait occasionné la maladie? Le chagrin, lequel s'attaque toujours à l'arbre nerveux, et réussit souvent à l'ébranler, à le contracter et à l'affaiblir.

Les indications à remplir étaient de remonter le moral, de calmer les nerfs, ensuite de les fortifier.

Nous conseillâmes un opiat composé de conserve de roses et de sirop de morphine, égale quantité, à prendre quatre fois le jour, deux cuillerées à café à la fois, demi-heure avant de manger.

Le patient n'étant pas altéré, point de boisson. Régime : lait de poule, potages variés au bouillon de poulet, sucs de viandes.

Le 16 avril, douleurs bien diminuées; on continue encore trois jours la même prescription.

Alors M. B*** commence à marcher seul; mais il se plaint d'une grande faiblesse; il éprouve comme un vide dans l'intérieur du crâne.

Dans l'opiat précédent, on mêle un gramme d'écorce du Pérou, réduite en poudre impalpable : potages au bouillon de bœuf, œufs frais à la coque, viandes blanches rôties, un peu de vin de Bordeaux étendu d'eau sucrée.

Le 24, le quina n'a pas été senti, l'appétit augmente avec les forces, et la douleur est entièrement dissipée. On double la dose de la poudre tonique; alimentation plus abondante, exercice, distractions.

On augmente graduellement la dose du remède actif, jusqu'à en faire prendre six grammes en cinq jours, et après un mois, M. B***, parfaitement débarrassé de ses malaises, de toutes ses douleurs, se réjouissait d'un bien-être qu'il ne connaissait pas avant l'accident.

Ici la spécialité de la cause, la soudaineté des douleurs cérébrales ne laissaient aucun doute sur leur nature spasmodique. Le fâcheux effet de la purgation démontrait que le docteur faisait fausse route, et l'engageait à revenir sur ses pas.

Dans les maux de nerfs, les purgatifs sont très-rarement indiqués, seulement dans certaine gastralgie ancienne, où la lenteur des digestions a accumulé les glaires, les mucosités dans le ventricule : hors de là, ils exaspèrent le mal, et sont de l'huile dans le feu.

Autre remarque. Comme il a été dit plus haut, la gastralgie, à moins d'être très-récente et peu aiguë, ne doit pas être envisagée comme une affection purement locale, et réclame d'ordinaire un traitement qui s'adresse à l'ensemble de l'appareil nerveux. Il faut aller au fond de la maladie, pour obtenir une cure radicale : quand un fleuve débordé a inondé la campagne, ou qu'elle a été détrempée par d'abondantes pluies, les arbrisseaux, toutes les plantes se trouvant trop ramollies courbent la tête et languissent, les fleurs se fanent et sont près de tomber ; mais si le soleil, de ses rayons ardents, dessèche le terrain fangeux, il rend leur vigueur tout à la fois aux racines, aux tiges, aux feuilles des arbres et des arbrisseaux, les fleurs reprennent leur éclat, avec l'état normal de la végétation.

A l'occasion de ce dernier malade, nous observons que le traitement ne saurait varier avec le siége principal de la douleur. Qu'elle se fixe à l'estomac, au cerveau, à la poitrine, la maladie ne change point de nature , la cause reste la même, et le remède doit être identique. Cette uniformité du remède explique les cures variées et nombreuses opérées tous les jours par tels et tels médicaments actifs, par certaines eaux minérales.

Les eaux salines, les sulfureuses, jouissent d'une vertu excitante, laquelle, en donnant du ton à tous les appareils d'organes, régularise leurs opérations.

Bordeu signale telle source des Pyrénées où il avait vu guérir des céphalalgies, des oppressions, de mauvaises digestions, des vomissements, des dévoiements chroniques, c'est-à-dire qu'en rétablissant les fonctions du canal alimentaire, elle faisait disparaître tous les symptômes morbides qui en dépendaient, dans quelque partie du corps qu'ils apparussent.

SECOND EXEMPLE

Madame N***, de Lyon, âgée de trente-deux ans, est d'une complexion délicate et très-nerveuse : corps amaigri, taille élancée, membres grêles, tout son extérieur montre que ses nerfs

sont pour ainsi dire à nu ; pas de couche grais-
seuse qui enveloppe les muscles et empêche les
impressions trop vives.

Elle nous informe que depuis six ans et demi
elle est languissante. A cette époque qui ne sortira jamais de sa mémoire, une fâcheuse nouvelle
produisit dans son organisme un bouleversement
général ; à l'épigastre et dans le bas-ventre, elle
ressentit une secousse, comme quelque chose qui
se détachait brusquement et se renversait sur soi-
même.

A partir de ce moment, faiblesse des reins et
des jambes, maux de cœur, digestions lentes et
douloureuses, tristesse habituelle, susceptibilité
nerveuse excessive ; le moindre bruit l'incommode, elle ne peut supporter le cri d'un enfant,
pas même la conversation de ses amis.

Mais dans le silence de sa maison ses nerfs
irrités ne la laissent pas jouir de la paix.

De bonne heure, son mari la confia aux soins
des docteurs réputés les plus habiles dans le traitement des maladies des femmes.

D'un naturel docile, ayant pleine confiance
dans les lumières de ses médecins, Madame N***
ne s'écartait en rien de leurs conseils.

D'abord les hommes de l'art, remarquant un relâchement de l'utérus, prononcèrent sans hésitation que cet organe était le foyer de la maladie. En le relevant et le fixant mécaniquement par le moyen usité en pareil cas, tout allait rentrer dans l'ordre, et les autres symptômes qui n'étaient que *sympathiques* devaient disparaître.

La manœuvre fut pratiquée; quelques jours s'écoulèrent, on attendait avec confiance la guérison promise; leur espérance fut trompée, le délabrement général resta le même.

Afin d'apaiser l'irritation nerveuse et de rétablir les fonctions de l'estomac, on administra ensuite et pendant longtemps bien des remèdes. Dans cette variété de substances médicinales, aucune ne remplit le but désiré; le mal paraissait d'une opiniâtreté désespérante.

A la vérité, les douleurs n'étaient pas toujours également intenses; il y avait même parfois plusieurs jours de calme, pendant lesquels la malade aurait pu se croire, à part la faiblesse, complétement guérie. Mais ce mieux tenait à si peu de chose!... Le passage d'un temps sec à l'humidité, une affection morale, la moindre contrariété réveillait tous les malaises.

Il y eut une consultation des sommités médicales.

Après avoir observé l'état des fonctions et passé en revue les traitements déjà ordonnés, on prescrivit le repos dans une position horizontale, au lit ou sur une chaise longue, assurant que six mois d'immobilité, en remettant le viscère en place, apaiseraient les douleurs, tous les malaises du bassin, et suffiraient pour délivrer la patiente de ses autres incommodités.

Certes, voilà un de ces moyens plus faciles à commander qu'à mettre en pratique, surtout pour les personnes atteintes de maux de nerfs. Elles sont prises parfois d'inquiétudes dans les jambes, d'un besoin de mouvement tel qu'à moins d'être enchaînées, elles ne sauraient demeurer en place.

Madame N*** ne songeait pas sans effroi à la durée de ce repos jugé nécessaire; néanmoins toujours soumise, elle s'efforça d'exécuter de son mieux cette prescription. Bien des semaines furent passées dans la position obligée, autant du moins que ses nerfs le permirent; mais l'appétit se perdait, les digestions étaient plus laborieuses, la faiblesse augmentait et l'irritabilité devenait excessive.

Enfin il fut reconnu que cet état d'inaction n'avait réussi qu'à l'énerver davantage.

Afin de restaurer les forces et d'appeler à la peau une révulsion salutaire au profit des viscères intérieurs, on conseilla les bains de mer.

Madame N*** entreprit un voyage de soixante lieues, au milieu des chaleurs de l'été; il s'effectua, non sans beaucoup de fatigue. Après plusieurs jours de repos, dont elle avait grand besoin, elle se fit transporter au bain, espérant laisser dans la mer toutes ses infirmités.

Le contact de l'eau froide sur ce corps amaigri, dont les nerfs étaient si irritables, produisait une horripilation avec un spasme général bien douloureux. De retour dans sa chambre, quoique chaudement vêtue, la malade avait bien de la peine à reprendre la moiteur : sa faiblesse empêchait la réaction sur laquelle on avait compté. Cependant, malgré sa répugnance, une antipathie bien prononcée pour ces sortes de bains, elle les continua comme il avait été ordonné. Au temps désigné, elle revint à Lyon, et depuis on l'a souvent entendu se plaindre que les bains de mer ne lui avaient fait que du mal.

Le docteur, appelé à son retour, trouva qu'elle

avait déjà pris beaucoup de remèdes, peut-être beaucoup trop, et il l'engagea à s'en abstenir, du moins pour un certain temps.

Profondément découragée, n'ayant plus foi en la médecine, elle se résigna, se croyant condamnée à languir le reste de ses jours.

Elle vivait ainsi, privée de tout conseil et depuis quelques mois, quand notre opuscule sur la gastralgie lui tomba dans les mains. Elle le parcourut avidement ; car on a beau s'inquiéter et s'abattre, l'espérance se glisse toujours dans notre cœur par quelque issue secrète que la douleur n'a pas vue.

Dans les premières pages, madame N*** reconnut la plupart des symptômes qui la faisaient souffrir : ce qui la rassura un peu, en lui prouvant que d'autres avaient enduré les mêmes douleurs. Elle prit confiance, et se fit accompagner dans notre cabinet.

Elle était bien faible : une voiture l'avait amenée jusqu'à notre porte, et elle avait eu de la peine à monter notre escalier, quoique appuyée sur un aide.

La patiente nous dit quelques mots sur l'ancienneté de sa maladie, et sur les divers traitements déjà conseillés.

Quel mal opiniâtre avait trompé les efforts de tant de médecins habiles et expérimentés? Pour le reconnaître, il importe de remonter à la cause.

Au début, une vive émotion, une affection morale triste ébranla tout l'appareil nerveux ; l'estomac et la matrice furent les plus sensibles à la secousse, la digestion devint laborieuse, on diminua la quantité d'aliments, on suivit un régime très-léger ; la diète augmenta la faiblesse, la faiblesse amena l'épuisement, le sang de plus en plus appauvri accrut les spasmes gastriques et utérins.

En prodiguant les consolations à la malade, en aidant à la distraire de son ennui, lui faisant prendre quelque sirop calmant, des aliments de facile digestion, de l'exercice en compagnie, de l'occupation suivant les forces, elle n'aurait eu qu'une indisposition de quelques jours.

Ces messieurs, dont plusieurs étaient d'anciens accoucheurs de la Charité de Lyon, bien familiarisés avec les maladies particulières aux femmes, avaient remarqué surtout l'affection du bas-ventre, le relâchement de la matrice. Oubliant ou n'ayant point pris garde que c'est l'estomac qui est chargé d'exprimer la souffrance des autres or-

ganes de l'économie ; que les sympathies du ventricule sont nombreuses, et que ses douleurs peuvent retentir jusqu'aux extrémités, ils dirigèrent
tous leurs moyens contre le désordre des fonctions
utérines, qui n'était que sympathique à celui de
l'épigastre ; ils bataillèrent contre un symptôme,
attaquèrent l'ombre de l'ennemi sans toucher à sa
personne : ils avaient posé un diagnostic erroné.

Madame N***, à la première visite, avait la langue blanche et humide, la bouche pâteuse ; elle se
plaignait d'un malaise indéfinissable au creux de
l'estomac et d'une grande faiblesse.

Nous conseillâmes un opiat contenant 1 gr.
50 centigr. d'écorce du Pérou et 3 gr. de sous-
carbonate de fer à prendre en six jours, un régime analeptique, une ou deux courses en voiture, puisqu'elle ne pouvait aisément marcher à
pied, lui assurant que nous ne voyions rien d'incurable dans son état, et qu'il était encore temps
pour rétablir sa santé perdue.

Huit jours après : « Il y a du mieux, nous dit-
elle, vos remèdes passent bien, ils développent les
forces ; je mange davantage, et la digestion s'o-
père moins péniblement. Mais j'ai eu tant de fois
de ces mieux !.... J'espère peu encore. »

Nous doublâmes la dose du tonique amer, et ajoutâmes quelques pastilles de chocolat ferrugineux.

Une semaine plus tard, madame N*** revint seule : « Maintenant j'espère beaucoup : d'après vos conseils, je suis sortie tous les jours, d'abord en voiture, ensuite à pied ; je m'en trouve bien. Le mieux a continué sans relâche ; les forces augmentent et la mélancolie s'en va. Bientôt nous irons habiter la campagne à une lieue et demie : cette distance ne m'empêchera pas de venir voir mon médecin toutes les semaines ; je suis disposée à continuer le traitement tant que vous le voudrez. »

Assurément, c'était un traitement bien simple : une cuillerée à café d'une confiture, où le remède était masqué parfaitement, quelques pastilles d'un chocolat agréable, quoique médicamenteux, une alimentation douce et substantielle, des promenades, un peu d'occupation et de la gaîté autant que possible.

Voilà, en effet, qui n'a rien de pénible ni de dégoûtant.

Tous les malaises diminuaient peu à peu, et chacun remarquait la bonne humeur de la malade.

Pendant longtemps, elle avait fui les réunions de famille ; elle recommença à les fréquenter ; le bruit ne l'incommodait plus, et son caractère en devenait plus expansif. Il lui semblait vivre d'une vie nouvelle, et elle se félicitait tous les jours de son bonheur.

Nous vîmes encore madame N*** les mois d'août et de septembre ; puis, nous lui déclarâmes qu'elle pouvait enfin dire adieu aux médecins.

L'année suivante, vers le milieu de l'été, le hasard nous fit rencontrer M. N***. Il s'empressa de nous informer que madame continuait à jouir d'une bonne santé : elle faisait impunément de longues courses à la campagne, elle mangeait et digérait aussi bien que jamais.

Ainsi, après avoir langui pendant plus de six années, avoir avalé une foule de drogues désagréables, s'être assujettie au pessaire, aux bains de mer, à l'embarras des voyages, madame N***, de plus en plus souffrante et profondément découragée, a retrouvé le calme et la vigueur au moyen de quelques *toniques doux*, sous forme d'aliments dont la digestion produisait un bien-être à l'estomac et dans toute l'économie. La joie de la santé, qu'on n'apprécie bien qu'après l'avoir perdue, a remplacé chez elle la tristesse, l'inquiétude et les malaises de tous les instants.

TROISIÈME OBSERVATION

En 1847, M. V***, agréé au tribunal de commerce de Lyon, âgé de trente-cinq ans, entra dans notre cabinet, se tenant appuyé sur le bras d'un aide qui ne le quittait pas.

« Voilà près de quatre ans, nous dit-il, que je ne puis marcher seul ; la tête trop faible ou trop lourde l'emporte, et me ferait tomber tous les six à huit pas. Cependant, vous le voyez, je n'ai pas le teint d'un malade ; les digestions sont lentes, il est vrai, mais non douloureuses. Au début, en jouant au billard, je fus pris d'un étourdissement avec perte de connaissance : un médecin, appelé en hâte, crut à une apoplexie, et s'empressa d'ouvrir la veine du bras. Quand je revins à moi, je sentis je ne sais quel malaise au cerveau qui m'empêchait de me tenir debout. Il n'y avait pas de paralysie ni aux bras ni aux jambes, néanmoins le lendemain nouvelle saignée, puis révulsifs à la peau, sinapismes, vésicatoires, etc.; ensuite des purgations réitérées qui accrurent la faiblesse, et diminuèrent l'énergie cérébrale.

« Ayant abandonné les remèdes, je recouvrai peu à peu les forces, mais la tête ne devint pas plus solide.

« Alors je m'adressai à l'homéopathie : j'avalai plusieurs mois ses prises mystérieuses de poudre blanche, lesquelles n'opérèrent rien.

« Depuis, j'ai consulté des empiriques, des somnambules : chacun a expliqué à sa manière la nature de ma maladie, mais tous les remèdes sont restés infructueux.

« J'avais perdu la foi dans la médecine. Ces jours derniers, me trouvant à l'Arbresle, chez une dame dont vous avez guéri les mauvaises digestions, je l'ai entendu parler de son docteur d'une manière qui m'a inspiré le désir de venir lui demander conseil. »

M. V*** nous informa qu'avant son accident il avait déjà éprouvé plusieurs étourdissements moins graves, qui avaient passé d'eux-mêmes, sans invoquer les secours de l'art. Il les croyait occasionnés par sa vie trop sédentaire, par son application à l'étude.

En effet, les contentions d'esprit engendrent

tous les jours des spasmes et des vapeurs; M. V*** n'avait ni l'âge, ni l'embonpoint, ni la conformation qui prédisposent à l'apoplexie; le traitement de cette dernière affection n'avait pas été salutaire. Il a les cheveux noirs, le regard plein de feu; vif dans ses mouvements, il supporte impatiemment les contrariétés : tout en lui indique un homme né pour la vie active et disposé aux maux de nerfs.

Une aspersion d'eau froide à la figure, ou sur le front une compresse d'eau fraîche renouvelée, aurait suffi pour dissiper le vertige. De l'exercice au grand air, dans la belle saison les bains froids du Rhône, en activant les digestions, auraient rendu le calme et la vigueur à l'organisme, et mis fin aux étourdissements.

Nous ne vîmes ici qu'un cerveau à fortifier, cerveau qu'avaient lésé des évacuations sanguines intempestives : car, dans certains accidents nerveux, la saignée peut avoir les conséquences les plus graves. Telles vapeurs auraient disparu par le régime et les distractions : on tire du sang, voilà des convulsions, la mélancolie, l'hypocondrie, la folie.

La langue était blanche, mais l'estomac n'était

9

pas irritable. Aussi, nous prescrivîmes d'emblée la poudre de quinquina, 8 grammes dans un électuaire, à prendre en huit jours, des aliments de facile digestion, parce que les pesanteurs gastrisques augmentent l'embarras de la tête, de fréquentes promenades, et la compagnie de gens dont l'enjouement invite à la gaieté.

Après dix jours, notre malade revint nous voir : « Le cerveau est soulagé, nous dit-il; je marche plus aisément; à présent j'espère beaucoup. »

Le tonique n'ayant pas été senti, on en doubla la dose, et on ajouta encore 8 grammes de safran de mars apéritif, incorporés dans de la conserve de roses, et du sirop d'écorces d'oranges. Ce mélange était pris avec plaisir, du moins sans répugnance aucune.

Après trois semaines, nous augmentâmes de 50 centigrammes par jour la quantité des deux poudres, et au bout de deux mois de ce traitement M. V*** renvoya son compagnon de route obligé, comme le boiteux guéri laisse de côté sa béquille inutile.

Nous l'avons depuis aperçu, se promenant seul et la canne sous le bras, étonné, émerveillé, disait-il, d'avoir vu guérir, en quelques semaines,

par un remède si simple, au moyen d'une confiture, ainsi qu'il l'appelait, un mal qui avait résisté quatre années à tant de médicaments.

Mais on n'avait pas mis le doigt sur la plaie, on
n'avait pas interrogé les antécédents, reconnu le
tempérament nerveux du patient, découvert la
cause de la faiblesse et de l'*irritation* de l'encéphale.

En un mot, on s'était trompé sur le diagnostic.

————

Les deux personnes dont nous venons de raconter l'histoire guérirent l'une et l'autre par les
toniques, mais administrés à des doses bien différentes. La première, madame N***, femme délicate et amaigrie, avait l'estomac très-susceptible
et très-irritable. Elle n'aurait pu supporter des
remèdes actifs, des amers à forte dose, malgré la
précaution de les mélanger avec des adoucissants.

Chez le second, homme assez robuste, le mal
principal était à la tête; les fonctions digestives
s'exécutaient lentement, mais sans douleur; et,

comme le régime substantiel n'avait pas suffi pour rendre sa vigueur au cerveau, il était nécessaire d'administrer à dose très-élevée les médicaments toniques, afin d'augmenter la vitalité, d'éveiller puissamment l'énergie cérébrale.

Nous avons connu un avocat d'une complexion plus faible, d'un tempérament plus nerveux que le malade précédent, lequel, âgé de trente ou trente-deux ans, éprouva aussi un vertige avec évanouissement prolongé, et fut traité de même comme apoplectique sanguin, quoiqu'il fût amaigri et eût la face habituellement peu colorée. Il avait également l'œil vif, le geste prompt et l'imagination ardente.

Après plusieurs mois, ce pauvre jeune homme était incapable de faire trois pas dans la chambre. Alors un traitement hydrothérapique le mit en état de se promener en s'appuyant sur le bras d'un ami. L'année suivante, il retourna à l'hydro-thérapie; mais, cette fois, l'usage en lotions, affusions, immersions, resta sans efficacité.

Le cerveau s'est altéré à la longue, le regard est devenu inintelligent, presque hébété, et cet avocat est tombé dans un état voisin de l'idiotie. Nous ignorons s'il est encore de ce monde.

L'habitude d'envisager une seule classe de maladies, d'en observer toutes les variétés, familiarise tellement le médecin avec ce genre d'affections, qu'il peut souvent traiter avec succès bien des malades éloignés, pourvu qu'ils sachent exposer clairement la plupart des symptômes qui les font souffrir.

Nous avons entendu quelques personnes exprimer leur étonnement qu'il soit possible de guérir des individus qu'on ne voit pas, habitant à cent lieues loin : mais les faits sont là, et ils parlent plus haut que tous les raisonnements.

Le 22 mars 1848, M. S*** nous écrivait de Saint-Laurent-de-Chamousset (Rhône) :

« En 1844, un docteur exerçant la médecine depuis cinquante ans reconnut chez ma femme un engorgement utérin, et il faisait dépendre de là tous les malaises dont elle se plaignait d'habitude. Alors elle était incommodée, il est vrai, mais elle pouvait vaquer à ses occupations.

« Il y a environ un an, elle accusait parfois des douleurs au bras gauche et à l'estomac, lesquelles faisaient blanchir la langue, la rendaient épaisse et pâteuse.

« Le praticien cité plus haut étant mort, je fis appeler un autre médecin de la localité, qui prescrivit le traitement hydrothérapique. On enveloppait la malade, depuis le cou jusqu'aux chevilles, d'un drap trempé dans l'eau froide. Deux heures après, on lui enlevait ce linge dans lequel elle transpirait, et on lui faisait prendre un bain de siége pendant lequel on lui frictionnait le dos, les bras et la région épigastrique, puis on la couchait dans un lit chaud.

« Ce traitement, qui a duré deux mois, nonseulement n'a pas soulagé, mais depuis, les douleurs des bras et de l'estomac sont devenues plus vives et plus fréquentes.

« Il y a sept semaines, au moment où ma femme se disposait à aller vous consulter à Lyon, une *crise* épouvantable la mit au lit, où elle est encore.

« Les deux bras lui font mal, l'estomac lui brûle, et elle y sent parfois des battements : depuis quatre jours elle a la bouche continuellement pleine de salive.

« Je viens à vous, monsieur, plein de confiance, persuadé que vous indiquerez à ma femme des remèdes qui la mettront en état d'aller se présenter dans votre cabinet, afin que vous la guérissiez radicalement, comme tant d'autres qui vous doivent la santé. »

Cette dame était âgée de trente-trois ans, grande, mince, brune, très-vive et très-sensible; par conséquent, prédisposée aux maux de nerfs.

La langue blanche, la bouche pâteuse et quelquefois pleine de salive, les douleurs d'estomac qui troublaient les digestions, douleurs qui retentissaient dans les bras, indiquaient évidemment une gastralgie, laquelle réagissait sur la matrice, où elle déterminait un peu d'engorgement, ou plutôt de ramollissement avec pertes blanches.

On avait donc eu tort d'adresser les remèdes à l'organe spécial du bassin, dont les souffrances n'étaient que sympathiques à celles de l'épigastre, leur point de départ.

L'inutilité des divers traitements, l'impuissance de l'hydrothérapie, venaient nous confirmer dans notre opinion.

La malade se plaignait d'un feu à l'estomac, mais la blancheur et l'humidité de la langue prouvaient que la sensation de feu n'était point l'effet de l'irritation; elle était due à l'acidité des premières voies, et ne réclamait pas l'usage des adoucissants. Aussi nous conseillâmes quelques pastilles de chocolat ferrugineux, avec la recommandation d'en augmenter progressivement le nombre, si l'estomac les supportait et les digérait sans fatigue.

Le 3 avril, on nous écrivait : « Les douleurs des bras et de l'estomac ont à peu près disparu ; la malade se trouve bien mieux ; elle n'est plus alitée ; elle peut se promener dans la maison. Elle ira à Lyon, si tôt que votre ville sera moins agitée. En attendant, recevez mes remercîments bien sincères. »

Cette dame continua de manger de ces pastilles seules ou avec du pain, en aidant ce remède d'une alimentation appropriée, et elle vit disparaître toutes ses douleurs des bras, de l'estomac, du bassin, etc. ; elle retrouva les forces et la santé perdues depuis plus de quatre ans.

En voyant le bien que lui faisait le chocolat, madame S*** regrettait amèrement d'avoir subi tant d'autres médicaments désagréables, les affusions froides, la couverture mouillée dans laquelle on l'enveloppait d'après la méthode hydrothérapique, les sangsues, les mouches de Milan, les injections de toutes sortes, et ces moyens secrets auxquels on soumet les femmes pour inspecter l'organe utérin, et qui répugnent toujours à leur pudeur.

Le 20 mai 1848, M. L***, négociant à Voiron (Isère), nous écrivait : « Le hasard a fait tomber dans mes mains votre livre sur la gastralgie. Je dois vous avouer franchement que, bien que j'aie lu dans cette brochure la maladie dont je suis atteint depuis longues années, j'ai toujours hésité à aller réclamer vos conseils. Mais aujourd'hui que mes forces m'ont abandonné, je ne puis pas supporter le voyage de Lyon. Je viens donc vous supplier de me faire part de votre traitement ; je ne vous oublierai jamais si vous parvenez à me soulager ou à me guérir. »

Le 28 juin, nous reçûmes la lettre suivante, où M. L*** nous mandait : « Ma santé, déjà bien améliorée, se raffermit de jour en jour ; vos remèdes sont une bonne chose qui a été bien digérée ; le dévoiement n'existe plus, le sommeil est devenu paisible, les forces ont augmenté considérablement, et j'ai à peu près repris mes occupations ordinaires.

« Je partirai très-probablement pour Beaucaire, où mes affaires m'appellent, le 8 ou 10 juillet; je suivrai soit à Beaucaire, soit en voyage, le régime que vous m'avez recommandé. »

Le 22 juillet, il écrivait de Beaucaire : « C'est toujours de point en point que je suis vos conseils, et je m'en trouve très-bien. Les chaleurs, loin de me fatiguer, paraissent convenir à mon tempérament. Lorsque j'irai à Lyon, je veux me procurer le plaisir de vous voir et de vous exprimer de vive voix ma reconnaissance. »

RECHERCHER LA CAUSE DE LA GASTRALGIE

Avant de combattre la gastralgie, il importe d'en rechercher la cause.

L'abus du vin blanc, du thé, du café, irrite les nerfs d'estomac; l'habitude des tisanes délayantes le relâche outre mesure; les uns et les autres rendent les digestions douloureuses.

En renonçant à ces boissons, c'est-à-dire en éloignant la cause, si le mal est récent et peu grave, il disparaît spontanément sans le secours de la pharmacie.

La découverte de la cause met le praticien sur la voie du remède.

Il n'est point rare que la gastralgie soit due à l'épuisement, lequel est produit par une alimentation insuffisante ou de mauvaise qualité, par la lactation, par l'abus des plaisirs de l'amour, par les pertes immodérées de sang, de salive, d'urine, de sueur.

Dans tous ces cas, l'indication à remplir est évidemment de réparer les forces, d'augmenter le ton des organes affaiblis.

Les ennuis, les passions déréglées sont des sources fécondes en affections nerveuses ; la colère, la jalousie, les contrariétés en revendiquent une bonne part.

Ici le rôle du médecin ne se borne pas à prescrire des médicaments; sa mission est plus noble ; il doit consoler le patient, lui apprendre à s'élever au-dessus des peines de la vie (Les moyens physiques n'ont pas la vertu de calmer les orages du cœur.) Il faut guérir le moral pour espérer de rétablir les fonctions gastriques troublées par l'influence, par les tourments de l'esprit.

Mais il n'est pas toujours facile de découvrir la cause de la gastralgie, quand elle n'est pas due

avec évidence à l'épuisement ou à des peines morales. La plupart des malades l'ignorent eux-
mêmes, et ils la remarquent d'autant moins que
la gastralgie n'est pas de ces affections qui éclatent soudain comme la dyssenterie, les fluxions de
poitrine. D'ordinaire elle se produit lentement, ses
symptômes apparaissent aujourd'hui, demain ils
sont oubliés.

Tel observe d'abord que son appétit est devenu
irrégulier, capricieux; un jour il se sent l'estomac
plein, n'a nulle envie de manger; peu après, c'est
un délabrement à craindre de tomber en défaillance.

Tel autre, après avoir usé de légumes venteux,
comme les choux, les haricots, éprouve un gonflement, un ballonnement du ventre, qui se dissipe
en quelques heures par des vents ou des éructations.

Celui-ci se plaint d'un état de constriction douloureuse, quand il se nourrit d'aliments acides,
d'oseille, de salade, de gelée de groseilles, etc.

Celui-là accuse une pesanteur incommode, un
serrement très-pénible, s'il lui arrive quelque contrariété avant de se mettre à table, ou pendant
le repas.

Au début, ces phénomènes morbides ne sont point continuels. Ils se manifestent des jours, des semaines, et plus tard ils ne sont pas sentis; mais, à la longue, ils deviennent plus fréquents, plus intenses, et ce n'est que lorsqu'ils troublent gravement la santé, que beaucoup de malades se décident à invoquer les secours de l'art.

LES CALMANTS

L'OPIUM

Si la douleur d'estomac est très-vive, que son acuité, sa violence obligent le patient à se tenir courbé, et même à vomir les aliments, alors il faut administrer les calmants, les narcotiques.

De tous les calmants, le meilleur, celui qui réussit d'ordinaire, c'est l'opium. Nous ne le conseillons pas sous forme pilulaire : les pilules se desséchant vite deviennent difficiles à digérer; mais nous le donnons en sirop, quatre à cinq cuillerées à café du sirop de morphine dans les vingt-quatre heures, à prendre avant les repas, et jamais immédiatement après, ni pendant la digestion, parce que dans ce dernier cas il la troublerait, l'arrêterait de suite.

C'est un moyen héroïque, dont l'action est prompte et se fait sentir dès le premier jour. Aussi quand après plusieurs jours, administré à dose raisonnable, il n'a pas apaisé la douleur, on doit y renoncer : il n'opèrera aucun bien.

Marie D***, ouvrière en soie, à Lyon, rue Vieille-Monnaie, âgée de vingt-neuf ans, d'un tempérament lymphatique nerveux, assez fortement constituée, se plaignait d'une douleur d'estomac qui la tourmentait tous les jours, environ une heure après son dîner, et pendant trois ou quatre heures, depuis six ou sept ans. Elle avait consulté une foule de médecins, avait avalé beaucoup de drogues, sans en être soulagée. Nous lui conseillâmes une cuillerée à café de sirop de morphine répétée quatre fois le jour ; comme la langue était blanche, humide, et qu'il n'y avait pas de soif, nous défendîmes les boissons, les tisanes.

Huit jours après, Marie D*** revint nous voir toute épanouie, toute heureuse : « Depuis ma première visite, nous dit-elle, je n'ai rien senti : en rentrant, je m'empressai de boire de votre sirop, et depuis j'ai mangé sans crainte et sans douleur. Je n'oublierai jamais le nom de ce sirop merveilleux qui a la vertu de détruire un mal que je commençais à croire incurable. Que ne me l'a-t-on indiqué plus tôt? »

Nous fûmes d'avis qu'on cessât l'usage du remède; nous la congédiâmes, avec la recommandation de revenir nous voir, si la douleur reparaissait. Comme nous ne l'avons pas revue, il est naturel de penser qu'elle s'est trouvée radicalement guérie.

Combien de gastralgiques ne pourrions-nous pas citer, qui ont eu également à se féliciter du sirop de morphine? Mais ce serait une répétition monotone dont nous nous abstiendrons de fatiguer le lecteur.

Quatre à cinq cuillerées à café du même sirop forment la dose ordinaire, qui suffit habituellement : elles contiennent de cinq à huit centigrammes d'opium ou extrait thébaïque.

Mais quand la douleur est très-violente, et que cette dose est impuissante à la faire disparaître, il faut s'empresser de l'augmenter : on peut la dou-

bler, la tripler même sans inconvénient, pourvu
qu'on reste là pour en surveiller les effets.

Un médecin très-expérimenté, M. Brachet, de
Lyon, a raconté l'observation d'une femme qui
souffrait cruellement d'une douleur gastralgique,
et à qui il avait administré jusqu'à deux grammes
d'opium en quelques heures, sans produire aucun
symptôme de narcotisme, mais au grand avantage
de la malade, qui se trouva guérie.

Il y a quelques années, dans la même ville,
nous nous souvenons d'avoir été appelé auprès
de M. D***, colonel en retraite, vieillard très-actif,
impatient du repos, s'exposant aux variations de
température comme un jeune homme, mais sujet
à la colique hépatique (douleur de l'estomac et du
foie), lequel était en proie à cette douleur qui le
tourmentait depuis vingt-quatre heures.

La veille, vers le milieu du jour, il avait senti
les premiers malaises. A cinq heures, cet ancien
militaire, habitué à mépriser le mal, avait cru
devoir prendre quelques aliments; mais peu
après il fallut tout rejeter, et il ne ferma pas l'œil
de la nuit. Dans la journée du lendemain, le
patient se roulait dans son lit invoquant des remèdes capables de le soulager dans cette crise

intolérable. Nous le vîmes à six heures du soir ; nous lui fîmes sucer à l'instant un morceau de sucre où nous avions versé sept à huit gouttes de laudanum de Sydenham ; de cinq en cinq minutes, pendant une heure et demie, on répéta cette dose, et le spasme fut rompu ; alors le pauvre M. D*** était heureux de pouvoir respirer à son aise.

Dans la nuit suivante, il prit encore quarante-cinq grammes de sirop de morphine dans une potion, qui procura quelques heures d'un sommeil paisible, après lequel il se réveilla calme, dispos, et la tête parfaitement dégagée, de même que s'il n'avait eu avalé qu'un grain (5 centigrammes) d'opium.

L'opium est un remède précieux contre la douleur dans une foule de maladies : administré à propos, il opère des effets qu'on demanderait en vain à tout autre médicament.

Dans la gastralgie, il importe d'en cesser l'usage après la huitaine, du moins d'en diminuer beaucoup la dose, car alors il a produit le bien qu'on peut en attendre, et l'on verrait apparaître les symptômes fâcheux du narcotisme. Il ôte l'appétit, resserre le ventre, arrête la sécrétion de l'urine, congestionne le cerveau; en un mot il détruit l'activité de toutes les fonctions.

Il ne faut pas imiter ce pauvre curé des environs d'Orléans, dont parle Barras, lequel aima mieux s'exposer à mourir de l'opium, que d'endurer patiemment l'hypocondrie qui le rendait malheureux.

Certains estomacs acquièrent une telle irritabilité qu'ils ne peuvent supporter le contact des aliments ni des médicaments quelconques; ils rejettent tout, et tout les fait souffrir. Alors il reste encore une ressource : celle de faire absorber la morphine par la peau dénudée de son épiderme.

On cautérise à l'épigastre, dans une étendue d'une pièce de cinq centimes, soit avec la pommade ammoniacale, soit avec le marteau plongé dans l'eau bouillante et appliqué une seconde sur la peau. On détache ensuite l'épiderme mortifié, et on saupoudre la plaie avec deux centigrammes et demi d'un sel de morphine, humecté ensuite avec une goutte d'eau tiède, afin de l'étendre et de le mieux fixer. Le tout se recouvre avec un morceau de diachylum ou de diapalme. On renouvelle le pansement matin et soir; mais comme les nerfs gastriques s'habituent promptement à l'action de la morphine, il importe d'en augmenter la dose progressivement, de deux à cinq, sept centigrammes, matin et soir.

Ce moyen réussit d'ordinaire pour calmer la sensibilité exagérée de l'estomac et prévenir le vomissement.

Quelquefois l'ingestion de la glace pilée obtient les mêmes succès; nous avons l'habitude de la faire accompagner du sirop de morphine : le calme se produit plus vite et se maintient plus sûrement.

En août 1846, madame G***, âgée de trente ans, d'un tempérament éminemment nerveux, tenant des bains à la Guillotière (Rhône), vomissait les aliments depuis trois mois, et depuis huit jours rejetait aussi les potions et les autres remèdes.

Invité à lui donner des soins, nous la trouvâmes alitée, dans une agitation, une anxiété qui faisait peine à voir : elle avait faim et n'osait pas manger; elle désirait le sommeil comme un répit à ses souffrances, et dès qu'elle reposait, son imagination était effrayée par des rêves qui la réveillaient en sursaut; elle éprouvait comme un aga-

cement universel, qui la menaçait de convulsions
à la moindre contrariété; de fait, elle nous paraissait bien près de mourir d'inanition : sa face
était jaunâtre, ses traits crispés, toute la physionomie exprimait la douleur et la tristesse. Par nos
conseils, elle avala une cuillerée à café de glace
pilée, qui fut suivie du calme à l'épigastre, d'un
bien-être général; une demi-heure après, elle prit
la même quantité de sirop de morphine, qui fut
gardé, et au bout d'une heure on lui présenta un
demi-bol de bouillon à la glace, qui ne fatigua
nullement. On continua ainsi l'usage de la glace
et du sirop cinq à six fois le jour. Bientôt la malade put digérer des potages et des aliments solides; elle commença à faire quelques pas dans
sa chambre, puis elle descendit au rez-de-chaussée
où elle avait le plaisir de surveiller son établissement.

Plus forte, elle s'enhardit à se promener au
grand air, et, après dix-sept jours, nous la rencontrâmes à Lyon, traversant la place Bellecour
et faisant des courses d'une demi-lieue pour ses
affaires.

Des ennuis avaient provoqué la gastralgie de
cette dame. Dans le principe, elle l'avait négligée;

elle semblait se complaire à se voir dépérir, afin d'arriver plus tôt, disait-elle, au terme de ses chagrins. Mais quand elle se vit près de succomber, en proie à des douleurs de tous les instants, elle se cramponna à la vie, demandant instamment des remèdes pour se soulager et rétablir une santé naguère florissante.

Peu s'en fallut que la mort n'arrivât avant les bons remèdes qui devaient la sauver.

SUITE DES CALMANTS

LA JUSQUIAME, LA BELLADONNE, ETC.

L'opium ne convient pas à tous les gastralgiques ayant besoin d'apaiser l'exaltation de sensibilité dans leur canal alimentaire; chez quelques-uns, il détermine d'emblée des étourdissements et d'autres accidents fâcheux qui obligent à y renoncer. Pourquoi s'opiniâtrer en effet? Il y a tant de variétés, tant de bizarreries dans les maux de nerfs qu'il ne faut point s'étonner qu'un même agent thérapeutique n'obtienne pas toujours du succès dans les cas qui semblent le réclamer.

Alors il faut recourir aux succédanés de l'opium, à la jusquiame, la belladonne, la stramoine, etc. Ces deux derniers paraissent agir spécialement contre les symptômes nerveux de la poitrine, l'angine, l'asthme essentiel ; néanmoins, des médecins expérimentés préconisent aujourd'hui la belladonne dans toutes les névralgies, temporale, dentaire, gastrique, intestinale, etc. Ces auxiliaires de l'extrait thébaïque sont loin de posséder en général son efficacité, mais ils n'ont pas du moins l'inconvénient de resserrer le ventre ; l'extrait de jusquiame le relâche quelquefois, effet bien avantageux dans une maladie qui, neuf fois sur dix, produit la paresse des intestins.

Quand un malade a usé d'un de ces médicaments pendant plusieurs semaines, il doit l'abandonner sans hésitation, car ils ont bien leurs dangers.

Nous connaissons une femme, couturière, qui, après avoir pris un mois durant, dans un hôpital, des pilules d'extrait de belladonne, a été incapable de se remettre au travail de l'aiguille ; ses yeux la servaient mal : car on sait que cette substance a la propriété de rétrécir la pupille, et de troubler ainsi la vue.

AUTRES CALMANTS

LES LAITS

Voilà des adoucissants qu'on ne rencontre pas dans l'officine des apothicaires, qui sont précieux dans les irritations de la poitrine et des organes de la digestion.

Leur usage prolongé n'entraîne pas les inconvénients graves des médicaments que nous venons de passer en revue; beaucoup de gastralgiques arrivés à ne pouvoir digérer les potages, la viande, les légumes, etc., ont vécu des années de laitage, et lui ont dû la conservation de la vie.

Dans les premières pages de ce livre, nous avons cité madame A***, de Saint-Genis-Laval (Rhône), laquelle, depuis cinq mois, sans fièvre, ne prenait pas d'autre nourriture que trois tasses de lait d'ânesse.

Une demoiselle de trente-deux ans, de Tarare, souffrant depuis dix ans d'une irritation gastro-pulmonaire, se mettait tous les printemps à l'usage du lait d'ânesse, et s'en trouvait constamment soulagée.

Nous avons donné des soins à une femme de cinquante ans, boulangère à l'Arbresle (Rhône), qui, depuis douze ans, se nourrissait exclusivement de laitage, et se disait fatiguée de tout autre aliment.

Un étudiant en droit, passionné pour le cornet à piston, à force de souffler dans le tube de cuivre, avait contracté une toux sèche très-pénible, et après le dîner se plaignait d'un serrement à l'épigastre, d'une pesanteur incommode dont il n'était délivré qu'après avoir vomi.

Tremblant d'être *poitrinaire*, et se sentant maigrir de jour en jour, notre artiste amateur s'empressa de laisser dormir son instrument.

Nous lui conseillâmes du lait d'ânesse, le matin à jeun, et dans la journée trois tasses de lait de vache.

Après huit jours, la toux avait bien diminué; il n'y avait plus de quintes, et notre malade digérait sans douleur les potages, les œufs à la coque, etc.

Il continua pendant un mois l'usage du lait d'ânesse. Alors, débarrassé de sa toux et l'estomac fonctionnant bien, il revint à son régime ordidaire, en promettant de se rappeler que l'homme n'est pas né pour souffler la moitié du jour dans un tuyau métallique : habitude infaillible pour sécher et irriter les poumons, et qui coûte tous les ans la vie à une foule de musiciens, trop zélés pour leur art.

Le lait est indiqué dans la grande mobilité, dans cette irritabilité déjà chronique, et pour ainsi dire constitutionnelle; il convient particulièrement aux femmes délicates, au visage maigre et bilieux, à qui la moindre émotion donne un tremblement et des spasmes, pour qui toutes les sensations sont des douleurs. L'opium les étourdit, les constipe outre mesure, ralentit, enraie toutes les fonctions; mais le laitage, en particulier le lait d'ânesse, endort leurs souffrances, apaise la tempête de leurs nerfs révoltés; il donne à ces infortunés de l'appétit, un sommeil long et tranquille, un bien-être inconnu; en les rendant moins impressionnables, il leur change presque le caractère.

Dans les affections nerveuses de l'estomac, le lait est souvent contraire : c'est quand il n'y a que faiblesse sans irritation, et quand il y a acidité, aigreur, salivation abondante.

Les laits de vache et de chèvre, contenant beaucoup de caséum, se coagulent aisément par les acides, et les malades les rejettent décomposés, en fromage, ou bien ils fuient dans l'intestin, entraînant la diarrhée. Néanmoins, comme les glaires acides sont fréquemment un effet de l'irritation, alors, en calmant les nerfs gastriques, on peut ainsi mettre fin à la sécrétion des glaires, aux aigreurs, aux nausées, etc. Dans ces cas, il est bon de faire prendre de la magnésie une demi-heure avant la tasse de lait.

Le lait d'ânesse est le plus doux, le plus facile à digérer et le plus efficace; il ne se coagule pas dans l'estomac comme les autres laits. On le prescrit de préférence comme remède et les autres comme aliments.

Le lait calme, adoucit, mais ne fortifie pas; il faut donc s'en abstenir quand il n'y a qu'atonie dans l'organisme. Dans ces cas, il entretient, perpétue la faiblesse; il rend pesant, moins alerte, plus assoupi.

Le lait est l'aliment de la première enfance; un âge plus avancé, les adultes ont besoin d'une nourriture substantielle.

C'est un remède : on doit y recourir quand l'é-

tat de l'estomac le réclame, et savoir y renoncer
dès qu'il n'est plus nécessaire.

Les quelques malades rappelés plus haut n'ont
pas recouvré la santé en se nourrissant longtemps
de laitage : nous les avons guéris, au contraire,
en les faisant passer graduellement à un régime de plus en plus tonique, en leur donnant
du chocolat martial, des électuaires au quinquina.

Nous en pourrions citer un grand nombre
d'autres, dont la gastralgie était entretenue, ag-
gravée par l'usage prolongé du lait, et qui se sont
trouvés mieux depuis le jour qu'ils l'ont abandonné, pour user avec mesure d'une alimentation fortifiante, aidée par quelque médicament,
comme la conserve de roses, la gelée de lichen, le
safran de mars apéritif, etc.

Il n'est point difficile de comprendre que le lait
est nuisible dans certaines gastralgies, lorsqu'on a
vu qu'il peut les produire. Chez les gens pauvres
de la campagne, qui se nourrissent exclusivement
de lait, de fromage et de farineux, il suffit souvent
de changer leur régime pour rétablir leur digestion troublée.

Dans les villes, on entend tous les jours des personnes nerveuses se plaindre qu'elles ne sauraient vivre sans viande. Le maigre, donnant moins de sucs nutritifs, leur est lourd et difficile à digérer, tandis qu'une tranche de bœuf n'est point sentie; pour elles, elle est un calmant indispensable, qui console l'économie et fait éprouver un bien-être général.

Ainsi le lait est salutaire dans l'éréthisme de la gastralgie, inutile, nuisible même, quand il n'y a qu'atonie et débilité.

Le lait d'ânesse est un calmant qui réussit également contre les irritations de poitrine : nous avons raconté l'observation de ce jeune musicien affecté d'une toux nerveuse, très-fatigante, que le lait d'ânesse a soulagée en quelques jours, et guérie dans l'espace de trois à quatre semaines.

Mais les accidents spasmodiques des poumons, leurs désordres fonctionnels, s'ils sont négligés ou traités inconsidérément, peuvent se changer bientôt en maladie organique, et alors le remède est administré trop tard.

Nous avons connu particulièrement un jeune cultivateur qui, à l'âge de vingt-un ans, fut obligé, à son grand regret, de quitter son hameau pour s'enrôler dans un régiment d'infanterie légère. Ce villageois était très-sensible à l'harmonie, la musique l'électrisait : aussi ne tarda-t-il pas de demander, de solliciter pour être admis novice dans le corps des musiciens. Ses progrès furent si rapides qu'après deux ou trois ans on le nomma premier chef d'orchestre. A son tour, par goût comme par amour-propre, il donna tous ses soins pour former des élèves, en faire des artistes ; mais bientôt il s'aperçut que son haleine devenait courte, sa respiration était haletante après une marche et en montant un escalier.

Son service lui était de plus en plus pénible ; néanmoins il tint bon aussi longtemps qu'il put : il lui en coûtait trop d'abandonner sa clarinette et son cor de chasse, de ne plus guider, animer la marche du régiment.

Enfin ses forces le trahirent ; il se prit à cracher le sang, et il fallut bien aller se réfugier à l'hospice. Le docteur s'aperçut de bonne heure qu'il avait affaire à une maladie contre laquelle viennent échouer tous les efforts de l'art, et pour lui éviter de respirer longtemps l'air d'hôpital, on l'envoya en convalescence dans ses foyers.

En convalescence ! et après trois mois de lan-

gueur et d'hémoptysie, il mourut hectique à l'âge
de vingt-sept ans.

Sa gloire fut courte, si elle fut bruyante; mais
ses pauvres parents, qui lui ont survécu, auraient
été plus heureux de voir leur fils continuer près
d'eux la vie obscure et silencieuse des champs,
si, moins ambitieux, il eût consenti à se faire soigner à temps d'une irritation toujours guérissable
au début chez les individus non prédisposés à la
phthisie.

CALMANTS-TONIQUES

L'éréthisme nerveux n'est point la cause immé-
diate la plus fréquente de la gastralgie; au contraire, nous estimons que, huit fois sur dix, celle-
ci est due à la faiblesse des nerfs de l'estomac.
Beaucoup de gastralgiques se plaignent seulement
d'un malaise à l'épigastre, d'une constriction ou
d'une pesanteur plus ou moins incommode.

Parmi ceux qui accusent une vive douleur, une
irritation, beaucoup ont la coutume d'employer
des épithètes hyperboliques pour peindre la sensation qui les fait souffrir.

Quelques-uns digèrent mal à cause d'une alimentation pauvre, après avoir abusé du lait, de la bière ou des tisanes : or, ces boissons affaiblissent, délâbrent, et la faiblesse réclame les excitants, les toniques. Toutefois, il faut prendre garde que la débilité gastrique s'accompagne d'ordinaire d'une vive sensibilité, d'une susceptibilité extrême, laquelle empêche souvent d'administrer les fortifiants purs, oblige à les mêler avec les sédatifs. Alors on ordonne l'opium uni à la menthe, à la mélisse, à l'écorce d'oranges, au fer, au quinquina et autres amers.

M. le docteur Vigne a obtenu de nombreux succès par un mélange de sirop de morphine, d'eau de mélisse ou de menthe, étendus dans égale quantité d'eau commune.

Barras conseillait de préférence le sirop opiacé uni au sirop d'écorce du Pérou.

Quelquefois ces moyens s'emploient indifféremment et réussissent dans les mêmes cas ; ils n'ont pas néanmoins une vertu identique. Les aromatiques, menthe, hysope, sauge, etc., relèvent le ton de l'estomac, et suffisent pour guérir la gastralgie chez des personnes qui ne sont pas bien amaigries ; s'il y a un profond épuisement, il faut avoir recours aux remèdes qui enrichissent le sang en activant les fonctions des organes.

M. H***, négociant à Paris, rue de la Grande-Truanderie, âgé de trente-deux ans, souffrait de mauvaises digestions depuis trois à quatre mois, vomissait des glaires, avait des renvois nidoreux, indice ordinaire du squirrhe ou du cancer. Depuis plusieurs semaines, il rejetait les aliments, perdait les forces, maigrissait beaucoup et n'osait plus manger, parce qu'il se sentait trop ébranlé quand il fallait vomir.

On lui avait fait prendre quelques médicaments, particulièrement de l'eau de chaux, de la magnésie pour absorber les glaires : ces moyens avaient été infructueux.

C'était dans le courant de décembre dernier.

Nous prescrivîmes quatre tasses d'infusion de mélisse, dans chacune desquelles on verserait une bonne cuillerée à café de sirop diacode, répétées pendant huit jours. Alors les vomissements étaient devenus moins fréquents, moins copieux; le malade se nourrissait de petits potages gras, de quelques morceaux de viande blanche rôtie, de confitures, et il se montrait plein d'espérance.

Il prit ensuite une potion contenant eau distillée de menthe, sirop de morphine, parties égales dans le double d'eau ou d'infusion de mélisse, par moitié en deux fois, une heure avant le déjeuner et autant avant le dîner.

Après quatre jours, demi-potion de deux en deux jours.

Deux semaines plus tard, cessation de tous remèdes, et au bout du mois, M. H***, délivré de ses renvois, de ses vomissements et mangeant assez, s'est cru assez fort pour se mettre en route et aller parcourir plusieurs départements du midi pour ses affaires.

Durant trois semaines, la guérison s'est maintenue; M. H*** supportait le régime des tables d'hôte, et vaquait sans peine à ses occupations. Mais dans la seconde quinzaine de février, les pluies froides, mêlées de neige, ont irrité les nerfs délicats du convalescent, et les digestions se sont troublées derechef.

De retour à Paris, M. H*** a recommencé l'usage de la même potion pendant trois jours et une semaine la demi-potion : après quoi tous les symptômes ont disparu.

Depuis il a fait deux courts voyages dans le nord et à l'est de la France, et au milieu d'avril

11

nous l'avons revu avec une bonne santé, ne croyant pas avoir besoin de remèdes.

Ainsi la potion calmante aromatique a guéri une gastralgie datant de quatre mois.

Nous allons citer une personne qui souffrait de mauvaises digestions depuis près d'une année, bien épuisée, et qui a recouvré les forces et un bon estomac au moyen de toniques plus fortifiants.

Au milieu de juin 1846, M. W***, à Lyon, place Saint-Clair, se présentait pour la première fois dans notre cabinet. Sa figure amaigrie et terreuse, son regard inquiet, abattu, annonçaient de longues souffrances.

Depuis dix mois il languissait, endurant la faim et ne pouvant rien digérer sans de cruelles angoisses ; surtout il se plaignait de douleurs vives, intolérables parfois dans le bas-ventre, douleurs qui répondaient à la région des lombes et rendaient la marche très-pénible.

Du reste la langue était pâle, humide, épanouie, et il avait toujours une constipation opiniâtre.

Dès le début et pendant les quatre premiers mois, un docteur expérimenté l'avait abreuvé de bouillon de veau et condamné à la diète, quoi-

qu'il n'eût point de fièvre, malgré ses supplica-
tions, car il se sentait dépérir faute d'aliments.

Alors, toujours alité et d'ailleurs dégoûté d'un
traitement si longtemps infructueux, il demanda
une consultation.

Toutes choses bien examinées, les docteurs réunis ordonnèrent qu'on transportât le patient à
la campagne (on se trouvait à l'entrée de l'hiver),
sans prescrire aucun médicament, aucun régime
particulier.

Une pareille décision n'était pas faite pour
rassurer. « La médecine se déclare donc impuissante, répétait-il; ils s'attendent que je ferai
bientôt comme les feuilles d'automne, » et il se
résigna, obéit par un reste de déférence.

Isolé, loin de ses amis, privé des secours de
l'art, M. W*** ne voyait point son état s'améliorer; il crut devoir mander un médecin des environs.

Les coliques et la présence des mucosités qui
enveloppaient les matières des selles persuadèrent
ce dernier qu'il existait des ulcérations intestinales. En conséquence, du lait pour alimentation, et plusieurs cautères sur la peau du ventre.

Mais le laitage passa difficilement, et chaque

cautérisation exaspéra les douleurs, en tuméfiant les parois abdominales.

Après quelques mois de repos et de remèdes toujours inefficaces, M. W*** entendit parler de nous, et se fit ramener en ville.

Il se soutenait avec peine, marchant appuyé d'un côté sur le bras de sa femme et de l'autre sur une canne solide. Il s'assied péniblement, et avant toute question il nous fait le récit interminable de ses souffrances, se plaignant amèrement de l'inutilité des remèdes pris jusqu'alors.

Le laitage et le bouillon de veau, ramollissant de plus en plus son canal alimentaire déjà délabré, accroissaient la faiblesse, rendaient les nerfs plus irritables et plus douloureux.

Si, dans le principe, il y avait eu lieu de chercher à calmer, à assoupir la douleur, cette indication n'existait plus depuis longtemps; il fallait au contraire administrer les toniques doux, c'est-à-dire fortifier sans irriter.

Nous conseillâmes de suite six à huit pastilles de chocolat martial et trois ou quatre cuillerées à café d'un électuaire composé de sirop de morphine, conserve de roses et une pincée de poudre de quinquina, avec la recommandation, s'ils irritaient, d'en suspendre l'usage, et dans le cas contraire d'en augmenter la dose progressivement.

Pour régime : potages au gras, gelée de viandes, lait de poule, confitures de coings, vin vieux étendu d'eau froide sucrée.

Après huit jours, M. W*** revint seul, se tenant assez droit et la figure épanouie. Les remèdes n'avaient pas été sentis ; il avait digéré sans peine les aliments désignés, et les forces augmentaient de jour en jour.

Il prend dix à douze pastilles de chocolat ; on double la quantité d'écorce du Pérou, et le malade essaiera le poulet rôti.

Après trois semaines, il supporte le bœuf et le mouton sans pesanteur ni coliques, et comme il est bien moins amaigri et partant moins impressionnable, nous l'envoyons aux bains froids du Rhône.

C'était dans le milieu de juillet.

Un mois plus tard, M. W*** ayant retrouvé ses forces, sa bonne mine et sa gaîté, reprend ses occupations interrompues depuis un an, et ne peut assez dire à ses connaissances, qu'il a guéri au moyen de confitures et de chocolat d'un mal qui lui avait fait endurer le martyre.

Le docteur du village croyait si bien à la présence d'ulcères dans l'intestin, qu'il le consigna dans un mémoire.

Des ulcères coexistant avec la constipation seraient un phénomène assez rare, car le dévoiement est le compagnon obligé des ulcérations intestinales.

Les remèdes qui ont guéri ont prouvé son erreur : car on ne cicatrise pas ces ulcères par le fer et le quinquina.

Déjà, après le traitement de ce praticien, le malade, voyant sa faiblesse augmenter, se hasarda de boire du vin de Bordeaux pur, et en continua l'usage quelques semaines : or, au lieu de s'en trouver plus irrité, il s'aperçut que les coliques diminuaient, et que la digestion s'opérait moins laborieuse.

Cette observation démontre en outre que la douleur dans les organes digestifs est loin de réclamer toujours l'usage des adoucissants, des stupéfiants : elle peut aisément être occasionnée par l'atonie de ces mêmes organes. Or, l'atonie exige une bonne alimentation et des médicaments qui relèvent le ton de l'estomac en resserrant ses fibres.

Madame S***, quarante-sept ans, taille élevée
et bien prise, naturellement vive, sensible et très-
irritable, après plusieurs affections morales tristes,
éprouva un resserrement à l'épigastre, lequel, peu
à peu, devint habituel, rendit les digestions lentes
et douloureuses.

Le mal ne faisant qu'empirer avec le temps, la
malade se décida à quitter son domaine du Beaujolais où elle vivait retirée, et se fit transporter à
Lyon pour être près de son médecin, homme âgé
qui avait toute sa confiance.

Celui-ci l'entendant accuser une *irritation* gastrique qui la faisait beaucoup souffrir, disait-elle,
crut devoir prescrire la diète avec force boissons
délayantes, et matin et soir un lavement émollient.

Depuis plusieurs semaines, elle ne s'écartait
pas de ce régime, et le docteur y insistait opiniâ-
trément.

Les abondantes tisanes de mauve, de guimauve,
de chiendent, etc., ramollirent, délabrèrent l'es-

tomac; les clystères multipliés eurent un effet
semblable dans les entrailles. Un simple potage
était insupportable, il donnait des angoisses, des
crampes pendant une ou deux heures. La maigreur, l'épuisement faisaient des progrès rapides,
l'inanition aggravait les spasmes; elle prenait parfois des accès d'impatience et de désespoir.

Une dame de son quartier, qui la visitait, la
détermina à s'adresser à nous.

Elle n'était pas alitée, elle se tenait reposée sur
un fauteuil; ses jambes pliaient sous le poids du
corps, et elle les traînait quand elle voulait faire
quelques pas dans la chambre.

L'indication à remplir était de calmer sans
affaiblir, de donner du ton aux organes digestifs.
La langue était blanche et très-large; pas de soif.

Opiat de conserve de roses et sirop de morphine,
gelée de lichen;

Sucs de viande, œufs clairs, bouillon de bœuf
dégraissé.

S'abstenir de tisanes, de tous liquides mucila-
gineux par haut et par bas.

Il y eut d'abord un peu de calme; mais après
quatre jours, nous n'avons pas su à quelle occasion, la tête s'exalta, elle se prit à sangloter :

« Elle était perdue, elle allait succomber ; » elle appelait son mari, demandait un notaire pour faire son testament, etc., etc.

Le mari s'appliqua à la rassurer, la raisonna de son mieux, lui prodigua toutes les consolations : il ne fut pas écouté. Alors il se hâta de nous prévenir : nous accourûmes. Après avoir payé le tribut de commisération dont elle avait grand besoin, nous lui assurâmes que, les moyens récemment indiqués ne fatiguant pas l'estomac, elle ne tarderait pas d'éprouver un soulagement notable; et nous lui annonçâmes que, après deux ou trois semaines, elle serait en état de retourner dans son domicile, de revoir sa délicieuse campagne. Alors, pour l'arracher à ses idées lugubres, nous fîmes avec complaisance la description de cette propriété, où l'on voyait de belles forêts, de riches vignobles, des eaux, des prairies et des terres labourables. Nous n'oubliâmes pas la villa bâtie à mi-coteau, dans un site agréable, d'où la vue s'étendait au loin, réjouie par la beauté du paysage.

Nous tenions ces détails de M. S***

Là-dessus, Madame S***, s'emparant de la conversation, renchérit encore sur nos éloges, r appela la douce liberté dont elle y jouissait, qu'on y avait toutes les commodités de la vie; elle nous invita, nous pressa d'aller aux vacances chasser dans ses grands bois.

Elle pérora un quart-d'heure sur ce chapitre, puis elle se trouva délivrée de sa crise, de ses vapeurs.

Elle était calme, d'une humeur enjouée, ne songeait plus à mander un notaire, à faire ses dernières dispositions.

Cette diversion à ses noires pensées fut très-favorable. En prenant congé, nous recommandâmes de faire deux fois le jour une promenade en voiture, afin de l'empêcher de s'ennuyer, d'augmenter les forces, l'appétit, et d'aider aux digestions.

Sept jours après, elle commença l'usage du chocolat ferrugineux, et dans l'opiat elle ajouta deux grammes d'écorce du Pérou en poudre.

Ces remèdes n'irritèrent point; on en augmenta graduellement la quantité, et après trois semaines, Madame S*** partit pour le Beaujolais, où elle resta une huitaine. A son retour, elle avait beaucoup gagné; elle mangeait davantage, n'en était point incommodée, avait doublé la dose de l'opiat et du chocolat, faisait à pied de longues courses ; son teint s'était éclairci, ses yeux avaient pris de la vivacité, et la guérison radicale n'était plus qu'une affaire de temps. En effet, vingt jours plus tard, elle dit adieu au médecin. Alors elle dînait avec son mari, n'avait plus de resserrement à l'épigastre, de constipation ; elle avait retrouvé le sommeil, et pour confirmer la cure, elle allait reprendre ses occupations et ses habitudes.

Cette dame avait été bien près de mourir dans le marasme, grâce à la diète et aux infusions délayantes.

Quand on a constaté l'inutilité, les funestes effets d'un traitement, on doit se résoudre à changer de méthode, ne pas s'obstiner à fermer les yeux à la lumière, ne pas condamner ainsi les malades à devenir les victimes d'un système dont l'expérience a démontré l'erreur.

Les gastralgiques, dont les nerfs ont beaucoup souffert de la faim, s'en souviennent des années et quelquefois toute la vie : ils sont exposés à des rechutes faciles.

Dans un appareil nerveux longtemps ou gravement ébranlé, l'équilibre rétabli se détruit aisément. Depuis l'époque dont nous parlons, Madame S*** nous a écrit plusieurs fois pour nous demander conseil sur de nouveaux accidents spasmodiques, occasionnés par des écarts de régime ou par des émotions.

Nous avons été assez heureux pour les dissiper de bonne heure au moyen de quelques potions calmantes aromatiques, en insistant sur le régime et l'exercice : car une alimentation appropriée et la fatigue musculaire sont un puissant préservatif des affections nerveuses. Le médecin ne peut pas mettre les gens délicats à l'abri des émotions et des peines de la vie : ils doivent s'appliquer à rendre leurs tissus plus fermes, leurs organes moins impressionnables.

Les femmes de la campagne qui s'adonnent aux travaux des champs, ou, dans les environs des villes, qui apportent tous les matins leurs provisions de beurre, de lait, etc., acquièrent vite un tempérament qui leur permet de braver impunément toutes les variations de température.

Vous les voyez, dans l'hiver, malgré la pluie et la neige, souvent chargées, faire leur trajet d'une ou deux lieues, même dans leurs moments critiques.

A cause de leur belle santé, elles sont bien plus heureuses que la plupart des ouvrières des villes,

qui vivent enfermées dans des chambres de quelques mètres carrés, respirent un air peu salubre,
ne connaissent pas le bon appétit acquis au grand
air, perdent de bonne heure leurs couleurs, la vigueur de la jeunesse, et restent sujettes à bien des
infirmités.

Elles sont plus heureuses même que beaucoup
de ces dames dans l'opulence, à qui leur condition et la mode font une vie inactive. Après des
journées sans mouvement et sans fatigue, écoulées sur un canapé ou dans une voiture mollement
suspendue, celles-ci reposent de longues heures
au lit, où elles achèvent de s'amollir et de s'énerver. Aussi se trouvent-elles sans énergie pour
supporter les peines morales, et elles résistent mal
aux causes des maux de nerfs.

Dans l'observation qui précède, nous abordâmes de bonne heure le chocolat ferrugineux,
malgré les douleurs et les spasmes accusés par la
malade. La raison en est que son épuisement réclamait impérieusement l'usage des toniques, et
que la révolte des nerfs affaiblis menaçait de convulsions. Or, une convulsion en appelle une autre, la moindre cause la renouvelle, et alors la
guérison radicale devient beaucoup plus difficile.

Un médecin exercé, habitué à manier cet agent thérapeuthique, reconnaît dès les premiers jours si le fer est indiqué ou contraire.

S'il eût fatigué, irrité les voies digestives, on aurait été quitte pour en suspendre l'emploi, et le renvoyer à un temps meilleur. Il passa bien, et de suite madame S*** put manger davantage, digérer avec moins de peine, et ses nerfs consolés lui procurèrent le calme et du bien-être.

Cet exemple est une nouvelle preuve que les souffrances gastriques s'apaisent très-bien par les remèdes fortifiants, surtout quand les délayants, les adoucissants ont été inefficaces ou dangereux.

Dans les cas où une vive irritabilité n'exige pas les narcotiques, la prudence veut que l'on commence le traitement par les excitants unis avec les opiacés, le sirop diacode, de morphine mêlé à l'eau ou au sirop de mélisse, de menthe, de quinquina, afin de remplir la double indication de calmer la susceptibilité nerveuse, tout en relevant le ton de l'organe affaibli.

Néanmoins, nous pourrions citer une foule de gastralgiques à qui nous avons fait prendre tout d'abord du chocolat martial, un électuaire au quina, sans les adoucir par des narcotiques.

Ce tonique ayant passé inaperçu, l'amélioration a été plus rapide et le traitement moins prolongé.

Dans les premiers temps de la pratique, avant
que l'expérience ait appris à discerner les variétés
de la gastralgie, la timidité est de rigueur ; il vaut
mieux rester en deçà du but que de le dépasser ;
un médicament actif, administré à contre-temps,
a quelquefois des suites graves ; mais quand l'habitude de traiter une seule classe d'affections
morbides a familiarisé avec tous leurs symptômes,
quand, au coup d'œil, vous voyez évidemment le
remède indiqué, laissant de côté la réserve du
doute, vous aimez à courir droit au but par le
chemin le plus court et les moyens les plus ex-
péditifs.

LES TONIQUES

Les toniques sont les remèdes les plus fréquemment indiqués, ceux qui répondent le mieux aux
désirs des malades.

La médecine, trop docile aux leçons du systématique Broussais, considéra longtemps la gas-

tralgie comme une irritation inflammatoire ; mais les antiphlogistiques l'exaspéraient, la rendaient interminable et quelquefois mortelle.

Barras a signalé une foule d'individus qu'il trouva exténués par la diète et les sangsues, et à qui il rendit la santé au moyen du sirop de quina et d'un régime substantiel.

Aujourd'hui la vogue est aux toniques : on se hâte de fortifier ceux qu'il y a trente ans on s'empressait d'affaiblir. Mais, en général, on les ordonne avec trop de timidité, quelques grains (centigrammes) par jour de sous-carbonate de fer et d'écorce du Pérou. Il ne suffit pas de goûter d'un tonique pour ne plus sentir des douleurs d'estomac.

Nous avons reçu nous-même bon nombre de gastralgiques ainsi traités inutilement, et que nous avons guéris ensuite par les mêmes remèdes administrés à dose plus élevée, et sous une forme plus appropriée à l'état de l'organe endolori.

Autre chose est de prendre de la décoction de quinquina, autre chose du sirop de cette écorce, ou de la poudre incorporée dans de la conserve de roses, de la gelée d'écorces d'oranges. La première dégoûte vite et irrite presque toujours, tan-

dis que l'opiat a la vertu de masquer l'amertume
du remède et le fait digérer facilement.

—

Au commencement de l'automne de 1847, nous
fûmes appelé à donner des soins à une jeune
personne, mademoiselle F***, à Lyon, rue du Ga-
ret, modiste, d'une complexion délicate et très-
nerveuse. Nous la trouvâmes alitée, se plaignant
de vertiges, et, par moment, poussant des cris
tant elle était tourmentée par une névralgie temporale. Depuis six mois, elle était affectée d'un
état chlorotique, avec crampes d'estomac, palpitations, et cette langueur générale qui accompagne les pâles couleurs.

Le médecin de la famille avait prescrit les pilules de Vallet, qui n'avaient pas réussi ; puis il
envoya sa malade aux eaux de Charbonnières. On
les but trente-cinq jours ; on prit de l'exercice ; on
s'y amusa, et on revint bien soulagée, mais non
guérie.

Après un mois et demi, tous les symptômes
éclatèrent de nouveau avec plus d'intensité.

Nous conseillâmes 1 gramme 50 centigrammes
de limaille de fer porphyrisé dans du cacao
de qualité supérieure, et, dans un électuaire,

12

1 gramme d'écorce du Pérou et 2 grammes safran de mars.

Après peu de jours, les étourdissements et les tiraillements douloureux de la tempe gauche avaient disparu ; la malade se promenait dans sa chambre, l'appétit se réveillait, et la digestion était moins pénible.

Une semaine plus tard, nous reçûmes mademoiselle F*** dans notre cabinet ; un léger incarnat colorait ses joues, jusque-là d'une pâleur mate ; les crampes et les palpitations avaient bien diminué, et elle commençait à se remettre au travail.

Nous augmentâmes la dose des deux substances, avec la quantité d'aliments.

Après trente à quarante jours, mademoiselle F***, délivrée de ses douleurs, de tous ses malaises, ayant retrouvé sa vigueur et sa bonne humeur perdue, renonça aux médicaments, et put se livrer avec courage aux travaux d'aiguille.

Il faut conclure de cette observation que les pilules de Vallet avaient été prises à trop forte dose, ou peut-être, se trouvant bien desséchées, avaient-elles été digérées incomplétement. Les pilules ferrugineuses particulièrement se durcissent vite ; alors elles aggravent ou font naître la gastralgie au lieu de la combattre. C'est pourquoi, dans les affections d'estomac, nous nous abstenons de formuler des remèdes sous forme pilulaire.

Les eaux de Charbonnières, sans adjuvants, étaient trop peu actives : elles avaient diminué le mal sans le déraciner.

La chlorose est sujette aux récidives. Des docteurs expérimentés veulent qu'un mois ou deux après la disparition des symptômes on revienne à l'usage du fer pendant plusieurs semaines, pour recommencer quelque temps plus tard, et ainsi de suite pendant six mois et plus.

Nous avons observé que les rechutes sont moins à craindre quand on a administré le fer et le quina simultanément. Nous invitons nos confrères à vérifier le fait dans leur pratique.

L'état de langueur appelé chlorose est comme la fièvre des marais invétérée.

Pour guérir cette fièvre, il ne suffit pas d'en arrêter les accès au moyen du sulfate de quinine, on doit encore prendre l'écorce du Pérou en substance, ou mieux, cette écorce unie aux préparations martiales, afin de remédier aux désordres, à l'appauvrissement du sang altéré par les accès longtemps répétés.

Le fer restaure le sang, lui rend les éléments réparateurs dont la fièvre l'a dépouillé; le quina agit directement sur les tissus de l'économie, augmente leur densité, leur tonicité. En combinant cette double action, on réussit plus promptement, on est plus sûr d'opérer une guérison radicale.

Dans l'exemple précédent, la gastralgie était une affection secondaire, dépendant de la chlorose, ou du moins elle en était compliquée. Nous allons citer d'autres gastralgies qui étaient primitives.

OBSERVATION

En 1846, M. F***, à Lyon, rue Désirée, était un homme de cinquante-six ans, de taille moyenne et fortement constitué. Habitué à une vie active, à un travail assidu, il paraissait réunir toutes les conditions qui mettent à l'abri des maux de nerfs. Cependant il accusait des digestions laborieuses depuis près de six années; et une preuve que ses douleurs d'estomac étaient de nature nerveuse, c'est qu'elles avaient succédé à une migraine, à laquelle il était sujet depuis l'adolescence.

Dès le début, M. F*** avait reçu les soins d'un

ancien médecin d'hôpital, praticien d'une expérience consommée, en qui il avait toute confiance. Le docteur promit de rétablir en peu de temps les fonctions digestives, et de débarrasser son malade de tous ses malaises.

Les prescriptions furent ponctuellement exécutées, et pendant plusieurs mois ; mais la prédiction ne se réalisait pas : il n'y avait pas de soulagement.

M. F*** continuait à souffrir après le repas, et il dépérissait à cause du régime débilitant qu'il fallait suivre.

Il crut devoir s'adresser à un autre docteur également renommé. Tous les médicaments conseillés furent pris avec une scrupuleuse exactitude, le malade ne voulant rien négliger pour se délivrer d'un mal qui le rendait très-malheureux.

Sa docilité ne fut pas encore récompensée ; les digestions restèrent laborieuses, et la faiblesse n'était pas moins grande.

Alors il eut recours à l'homéopathie. On lui avait raconté tant de fois des guérisons opérées par cette nouvelle méthode, il espérait qu'elle serait plus heureuse que la vieille médecine.

Le régime tonique fut observé, autant du moins que son estomac le permettait ; les prises et glo-

bules homéopathiques furent avalées religieusement; le malade fut constant, très-constant; mais
les globules n'eurent pas plus de succès que les
tisanes et les potions, et il fallut renoncer aux doses
infinitésimales.

Découragé, M. F*** se promit d'abandonner sa
maladie à elle-même, et de renoncer pour toujours
aux médicaments.

On ne se résout pas longtemps à souffrir sans
remède.

Comme la plupart des gastralgiques qui endurent la faim, M. F*** avait une loquacité intarissable; il racontait à tout venant ses douleurs que
la médecine, assurait-il, était impuissante à
guérir, et chacun lui vantait un nouveau docteur.

Le malade se décida à consulter de nouveau.

Sur ces entrefaites un accident grave vint exaspérer l'affection des voies digestives.

M. F*** tomba d'un rez-de-chaussée dans la
cave, et, dans cette chute, l'estomac, déjà endolori,
heurta contre un corps dur.

Le médecin fit couvrir l'épigastre de sangsues,
tint son malade au lit et à la diète pendant quarante jours.

On devine aisément que cette diète prolongée

exténua le patient; les souffrances gastriques s'ir-
radièrent aux organes voisins, la tête se prit, et
l'hypocondrie fut complète.

Alors au bouillon de veau, qui avait été toute
sa nourriture, on permit d'ajouter quelques légers
potages; mais leur ingestion était suivie d'un resserrement à l'épigastre, et d'une anxiété de plusieurs heures. Néanmoins ils furent continués :
bientôt le malade osa reprendre, à l'insu du docteur, quelques aliments plus substantiels. Il n'en
souffrit ni plus ni moins; même il lui sembla
qu'il les digérait avec moins de peine que les liquides. Il put enfin sortir de sa chambre et surveiller les affaires de son commerce. Son état était
devenu plus supportable; il mangeait, la quantité
d'aliments était raisonnable; mais de fréquentes
indigestions détruisaient ses forces et abattaient
son courage. Alors on lui fit prendre plusieurs
opiats dont il a oublié la composition; mais c'é-
tait, assurait-on, pour le fortifier. Il n'en éprouva
aucun bien.

Ensuite il alla aux eaux de Charbonnières : elles
ne réussirent pas.

La saison était peu avancée, on lui conseilla les
bains sulfureux d'Uriage.

Bordeu a signalé plusieurs sources de l'Aquitaine qui remédiaient, de son temps, au trouble des fonctions digestives. Tous les inspecteurs d'eaux minérales sulfureuses n'oublient pas, dans leur notice, cette propriété de leurs sources ; mais ce n'est point là leur vertu principale, et l'on n'envoie guère aux eaux à base de soufre les malades à qui les eaux ferrugineuses conviennent beaucoup mieux.

M. F*** revint d'Uriage sans amélioration.

Il est assez naturel de ne plus croire à la médecine quand on a suivi six ans durant et sans succès tous les conseils de plusieurs docteurs habiles et expérimentés, quand allopathes et homéopathes ont échoué contre une maladie dont ils avaient promis la guérison.

Aussi M. F*** ne voulait plus en entendre parler.

Depuis août jusqu'à la fin de novembre il ne prit aucun remède, et il aurait continué à languir ainsi sans une circonstance qui lui rendit quelque espoir.

Ayant rencontré un de ses amis qui avait souffert pendant dix mois de mauvaises digestions (M. W***), il fut frappé de sa bonne mine, et voulut savoir par quels moyens on lui avait rendu la santé.

Pour toute réponse cet ami l'accompagna dans notre cabinet.

En apprenant que M. W*** avait guéri sans avoir besoin de se déplacer, sans user de tisanes, ni de potions, ni de sangsues, ni de purgatifs, ni d'eaux minérales, il parut émerveillé : « Mais, disait-il, la maladie de monsieur n'était pas sans doute comme la mienne; j'ai eu tant et de si bons médecins, je ne puis croire qu'il y ait encore des remèdes pour moi. »

M. F*** paraissait amaigri; il avait le teint jaunâtre, le regard inquiet, et toute la physionomie avait une expression pénible. Depuis longtemps il n'osait manger de la viande; après le repas, il sentait de l'apathie, une grande lassitude, puis venaient des palpitations de cœur, qui parfois menaçaient de le suffoquer.

Souvent, dans la journée, il éprouvait des vapeurs qui se portaient au cerveau avec la rapidité de l'éclair, produisaient des vertiges, un étourdissement instantané. A l'intérieur, dans toutes les parties du corps, c'était comme une agitation fébrillaire, qui ne lui laissait pas un instant de repos, avec une angoisse inexprimable.

Il hésita s'il tenterait de nouveaux remèdes; enfin il consentit à essayer.

Nous prescrivîmes six à huit pastilles de chocolat ferrugineux, avec aliments substantiels sous un petit volume, et avant chaque repas une cuillerée d'un mélange de sirops d'écorce d'oranges et du Pérou.

Deux jours après, il vint nous voir tout empressé.

La veille au soir, il s'était hasardé, d'après nos conseils, à prendre une côtelette de mouton rôti, et, contre son attente, il ne l'avait pas sentie sur l'estomac; la nuit avait été bonne. Du reste, les remèdes passaient bien, et la constipation si ancienne avait disparu comme par enchantement; aussi était-il plein d'espoir.

La transition du régime végétal à une alimentation tonique se fit avec prudence, il est vrai; mais sans obstacles, sans accident aucun.

La digestion était de plus en plus facile, et les forces augmentaient rapidement; les nerfs surtout avaient retrouvé le calme.

Le temps vif et sec, qui régna dans le mois de décembre, convenait bien à ce tempérament affai-

bli et très-irritable; mais dans les premiers jours
de janvier nous eûmes les brouillards avec un
froid humide.

Notre malade sentit se réveiller de suite son
agitation et des vapeurs de tous les instants.

Il vint en hâte nous faire part de ses craintes :
il se croyait *retombé*, et se désolait.

Nous lui recommandâmes de ne point s'écarter
du régime conseillé, de prendre exactement les
remèdes prescrits, en augmentant la dose graduellement, l'assurant que ses organes qui se forti-
fiaient de jour en jour, pourraient bientôt braver
impunément les variations de température.

Il fut docile à nos conseils; il mangeait alors
quinze à dix-huit pastilles de chocolat, avalait
cinq à six cuillerées de sirop, qu'il prenait, du
reste, avec beaucoup de plaisir.

Il retourna à ses occupations sans s'inquiéter
de ses nouveaux malaises, et trois semaines après
ils étaient dissipés.

Le traitement dura près de trois mois. Il restait
encore des palpitations pénibles et fréquentes;
mais le régime indiqué devait suffire pour triompher de ce dernier symptôme, et l'effet répondit à
notre attente.

Après deux ans nous revîmes M. F***, il nous assura qu'il n'avait pas eu un seul jour de mauvaises digestions. Il avait de l'embonpoint, et il jouissait, disait-il, d'une santé meilleure qu'avant cette longue maladie.

——

Ce pauvre M. F*** avait été traité d'abord et pendant un certain temps par les antiphlogistiques ; ils avaient aggravé la gastralgie, avaient rendu l'individu plus impressionnable, de plus hypocondriaque. Plus tard, on essaya de le fortifier ; mais les opiats soi-disant toniques renfermaient sans doute quelques grains de poudre ferrugineuse, une dose trop minime pour opérer de l'effet, changer la disposition des organes. Les eaux de Charbonnières furent aussi impuissantes, et les bains excitants d'Uriage l'agitèrent beaucoup sans profit pour l'estomac. Un régime substantiel, aidé par du chocolat qui est encore un aliment, et un mélange de sirop amer-aromatique, eut plus de succès que tous ces moyens coûteux et les voyages aux sources minérales.

Ici encore nous attaquâmes vigoureusement la faiblesse gastrique par des aliments et des remèdes fortifiants sans les tempérer par des sédatifs.

En présence de ce corps si fortement charpenté,
que n'avaient pas irrité les bains sulfureux et les
eaux ferrugineuses, pouvions-nous songer à endormir la sensibilité des nerfs? On ne donne pas
du ton aux organes en les stupéfiant.

D'ailleurs il est des cas où le médecin est tenu,
pour ainsi parler, d'emporter d'assaut la confiance par une amélioration soudaine; c'est quand
il a affaire à ces infortunés qui languissent depuis
longtemps, particulièrement aux hypocondriaques.

S'ils n'éprouvent un soulagement prompt et
notable, on les entend se plaindre de leur docteur,
comme ils ont fait de ceux qui l'ont précédé. Ils
le laissent là pour courir à un autre, passant ainsi
de cabinet en cabinet, sans laisser le temps de les
étudier, de tirer parti d'un traitement essayé.

—

Dès les premiers jours, quand nous vîmes que
les toniques faisaient du bien, nous nous empressâmes d'en élever la dose, à mesure que la langue
devenait moins blanche, la bouche moins pâteuse,
partant, l'estomac moins affaibli : car il faut graduer le remède suivant les forces de l'organe qui
le reçoit et le digère.

Un médicament pris quelque temps à égale

quantité, habitue l'estomac à son action, et paraît n'avoir que fort peu d'effet, et personne n'est plus ennemi du *statu quo* que les malades : ceux qui souffrent beaucoup demandent un changement, ceux qui souffrent peu en veulent aussi jusqu'à l'entière disparition de leurs douleurs et de leurs malaises.

Malgré ces précautions et cette marche rapide, nous arrivâmes trop tard pour garantir le patient d'un commencement de rechute, de ces accidents nerveux causés par les pluies froides et les brouillards du mois de janvier.

Ce temps aigre pénétra douloureusement les tissus encore très-impressionnables, et le spasme de la peau réagit, selon l'habitude, sur les viscères digestifs.

M. F*** se lamentait, et, sans la présence de son médecin, la peur aurait fait perdre tout le fruit de nos remèdes. Mais déjà nous tenions le malade ; ayant conquis sa confiance, nous le dominions, nous pouvions lui commander en maître, assuré d'en être obéi.

Il fit tête à l'orage, se reposant entièrement sur notre parole, et bientôt il reconnut qu'il aurait eu tort de craindre et de se décourager. Avec le beau temps revinrent le calme et le bien-être que rien ne put troubler dans la suite.

Nous cessâmes le traitement, malgré la persistance des palpitations. Le mal étant détruit dans son principe, l'estomac fonctionnant bien, les accidents secondaires ne devaient pas survivre, et l'événement vérifia nos prévisions. Après plusieurs mois, tout était rentré dans l'ordre.

Quand l'harmonie est rétablie dans le centre d'un mécanisme, le mouvement continue de proche en proche jusqu'aux extrémités.

L'homme de l'art est le ministre de la nature, il doit l'aider à rentrer dans l'exercice de ses fonctions et ne pas avoir la prétention de tout faire et de la remplacer.

Il faut savoir s'arrêter quand l'organisme a été convenablement saturé de remèdes, et que le régime paraît suffisant pour achever la cure.

———————

Le 18 août 1847, mademoiselle Louise P***, de Roanne, nous écrivait :

« Voilà plusieurs années que je souffre, et je me sens bien fatiguée. J'ai des douleurs et des faiblesses d'estomac, je vomis rarement les aliments, mais ils pèsent presque toujours. Il n'y a point de soif, et cependant j'éprouve une chaleur brûlante à la poitrine, au dos, entre les épaules, des lourdeurs à la tête, des palpitations de cœur ; le moindre exercice m'essouffle, et parfois j'ai tant de peine à respirer que tout le buste paraît contracté, lié. Je ne puis me délivrer d'une inquiétude continuelle ; mon sommeil est troublé par des rêves effrayants.

« Je ne sais pas précisément les causes de ma maladie : elle s'est manifestée peu à peu ; j'ai eu beaucoup de peines d'esprit ; les ennuis, les chagrins me sont d'autant plus funestes que je suis vive, très-sensible. J'ai jeûné deux carêmes, malgré tous les malaises que le jeûne m'occasionnait.

« J'ai consulté plusieurs médecins. D'abord on m'a fait prendre force tisanes de gomme, d'orge, de l'orangeade. Ces boissons augmentaient la faiblesse, l'estomac digérait plus mal, et je n'avais plus la force de parler.

« Ensuite, on m'a fait avaler quelque temps des pilules : on m'assurait qu'elles devaient me donner du ton, que je serais plus forte. Souvent elles me pesaient, elles me constipaient beaucoup, et accroissaient ainsi la pesanteur de tête.

« Puis on m'a conseillé un sirop d'une *préparation* de fer, trois cuillerées par jour. Il passait bien, mais il ne produisait pas beaucoup de mieux.

« Ennuyée, découragée par ces remèdes inutiles, j'ai été voir une somnambule qui m'a assuré que ma maladie n'est pas incurable, que c'est une irritation de la poitrine et de la rate. Sa longue pancarte de simples mélangées n'a eu aucun succès. J'étais désespérée, quand j'ai lu dans votre brochure la description de mes maux tels que je les endure, avec une foule de guérisons. Cette lecture ma consolée, et m'a mère s'est empressée de me confier à vos soins.

« Ma lettre et les renseignements qu'elle vous fournira vous éclaireront, j'espère, suffisamment. »

Le 19 septembre, la malade nous mandait :

« L'espérance que j'ai de guérir commence à être bien fondée ; le mieux persévère et va en augmentant. J'ai plus d'appétit et la digestion est bien moins laborieuse : il y a même des jours où la nourriture ne me fatigue nullement.

« Les remèdes sont toujours bien digérés : ils ne

13

m'inspirent aucune répugnance; au contraire, j'y
reviens avec plaisir.

« Dans la semaine qui vient de finir, j'ai senti
une fois seulement ces douleurs vives de la poitrine et du dos, qui changent de place, se portent
à la tête, descendent aux genoux, aux mains, etc.
Elles sont plus supportables, et je vois bien qu'elles
tendent à disparaître.

« Le cerveau n'est plus aussi pesant, et on trouve
que je suis moins triste.

« Ci-devant je n'avais de goût à rien, le plaisir
m'ennuyait : maintenant je m'aperçois que j'ai
moins de peine à m'égayer, à me distraire. »

Trois semaines plus tard, en nous avertissant
qu'elle venait de terminer les médicaments conseillés, mademoiselle P*** se félicitait, se trouvant
heureuse de bien digérer, et d'être débarrassée des
malaises qui empoisonnaient tous les instants de
sa vie.

Quand les gastralgiques savent exposer leur état
avec autant de clarté et d'exactitude, il n'est point
difficile de les traiter par correspondance, et de
leur éviter ainsi les fatigues du voyage.

Les affections morales tristes avaient causé la
gastralgie, qui fut exaspérée par le jeûne et l'ab-

stinence. Les délayants étaient contraires : en re-
lâchant davantage la muqueuse gastrique, ils
achevaient de ruiner ses forces. Les pilules toniques, tombant sur des fibres ramollies, les irritaient, restaient réfractaires à leur action, donnaient des pesanteurs, augmentaient la constipation et les embarras du cerveau.

Le sirop ferrugineux passait bien, il soulageait;
et si on avait eu soin d'en élever graduellement la
dose, et surtout de le continuer pendant un temps
raisonnable, nul doute que la malade n'eût eu
beaucoup à s'en louer.

Après divers traitements infructueux on perd la
foi en la médecine, puis on confie sa santé, sa vie
au premier sorcier ou magnétiseur.

Quoique les douleurs d'estomac eussent commencé la maladie, et en fussent encore le symptôme
principal, il plut à une somnambule de les loger
dans la rate et la poitrine : pourquoi pas au pan-
créas ou au sommet de la tête ?

La macédoine de plantes entassées dans un
même breuvage, qu'elle ordonna avec assurance,
devait avoir une vertu inconnue : le succès ne répondit pas aux flatteuses promesses.

La lecture de notre livre fut un bonheur pour

cette malade. Il lui apprit que bien d'autres avaient
enduré les mêmes souffrances, et lui indiqua le
médecin qui les en avait délivré. Elle se rassura,
et elle fut, dit-elle, bien consolée. Or, dans les
maux de nerfs, remonter le moral équivaut souvent à la moitié de la guérison.

Nous conseillâmes du chocolat martial, quelques pastilles dans la journée, en petit nombre
d'abord, afin de nous assurer s'il convenait, s'il
était le remède le mieux indiqué. Après huit jours,
mademoiselle P*** en mangeait au-delà du nombre prescrit, c'est qu'il lui plaisait et lui faisait du
bien ; alors, augmentation d'une pastille par jour.

Après deux semaines, l'amélioration était remarquable. La digestion était rarement pénible,
et la tristesse faisait place à une gaieté douce, toujours de bon augure. Pour accélérer la guérison
et la rendre plus solide, nous ajoutâmes au chocolat un électuaire contenant 8 grammes quina et
12 grammes safran de mars apéritif, à prendre
en huit jours.

La conserve de roses et le sirop aromatique
masquant l'amertume de l'écorce du Pérou, mademoiselle P*** le digérait facilement, et en usait
sans répugnance.

Nous n'eûmes plus qu'à poursuivre notre œuvre, en ayant soin d'accompagner les toniques d'une alimentation appropriée. Bientôt nous reçûmes une lettre de remercîments : « Je n'oublierai jamais, nous disait-elle, le service que vous m'avez rendu. Je vous dois plus que la vie, car on ne jouit pas de la vie quand on ne jouit pas de la santé. »

—

Le 15 septembre 1845, M. C*** nous écrivait de Villefranche-sur-Saône : « Les bons effets que votre traitement a produits sur la santé de ma mère m'engagent à essayer sur moi-même son efficacité.

« J'habite Villefranche, et, comme je viens de garder le lit pendant plus de vingt jours, je suis tellement faible que je ne présume pas pouvoir aller à Lyon avant une quinzaine de jours. Je profite de la visite de ma mère pour vous faire parvenir cette lettre dans laquelle je vous donne une description aussi fidèle que possible de ma santé, pensant que ces renseignements pourront vous suffire pour m'indiquer ce que je dois faire jusqu'à ce que les forces me soient revenues : alors j'irai vous voir.

« J'ai trente ans : depuis l'âge de quinze ans

environ mon estomac est dérangé. Pendant les premières années, j'éprouvais, au moment de mes digestions, de fortes chaleurs à l'épigastre, suivies d'aigreurs excessivement acides et brûlantes. J'avais un fort bon appétit, que je satisfaisais sans modération. Quelques années plus tard, je suspendis totalement l'usage du vin; les aigreurs et les douleurs gastriques se tempérèrent un peu; mais le mal ne faisait pas moins de progrès, ou du moins il ne disparaissait pas; le ventre se resserrait et ne fonctionnait qu'avec beaucoup de peine. Les irritations dans les intestins se manifestaient souvent : alors j'avais recours aux lavements de mauve et aux cataplasmes de farine de lin.

« Depuis une douzaine d'années, une série de peines d'esprit et de cœur est venue aggraver le délabrement; maintenant j'en suis réduit à une impuissance presque totale de mes facultés physiques et morales pendant des journées entières, mais particulièrement après les repas.

« Je n'ai pourtant jamais eu d'indigestion qui m'ait fait vomir; la seule manière dont l'estomac me fait souffrir à présent, c'est un gonflement qui m'oblige à déboutonner le pantalon, et de fréquents renvois qui soulagent habituellement, mais ils sont peu acides et commencent dès que j'ai avalé quelques bouchées.

« L'année dernière, on m'envoya aux eaux de Plombières : elles me firent du bien, et j'ai été moins fatigué toute la saison. J'ai pu m'occuper un peu, tandis que les deux années avant, j'avais été obligé d'abandonner tout ce que j'avais entrepris.

« La maladie aiguë que je viens d'éprouver a été causée par un refroidissement.

« L'estomac et les intestins se sont trouvés fortement irrités. J'ai eu des accès de fièvre une douzaine de jours. A la suite du premier accès, j'ai ressenti de violentes douleurs dans le bas des reins, aux cuisses et aux jambes. Les nerfs ont été tellement fatigués que je me suis trouvé plusieurs heures comme privé de sentiment. Il n'y avait plus d'autre sensation pour moi qu'un battement au creux de l'estomac et un bourdonnement dans les oreilles.

« Pendant que l'irritation était dans toute sa force, j'étais tourmenté par des douleurs dans le cerveau, aux reins et au ventre. C'était comme une compression dans ces trois parties à la fois. Il y a cinq jours que la fièvre n'a pas reparu ; je

commence à prendre de la nourriture ; elle passe
assez bien, mais j'ai beaucoup de renvois, point
de forces dans les membres. La tête est libre, elle
est faible et me tourne un peu quand je fais quelques pas dans la chambre. La langue est encore
un peu jaunâtre, les bords sont d'un rose vif. Je
vais difficilement à la garderobe. »

Quand la fièvre intermittente, qui est une maladie nerveuse aiguë, survient chez une personne
délicate dont les nerfs souffrent depuis longtemps,
chaque accès fait naître de violentes douleurs
dans la moëlle épinière et dans les membres, douleurs qui accablent le patient, l'anéantissent.

Et si les accès ne sont pas arrêtés tout d'abord,
si on les laisse se renouveler plusieurs semaines
ou des mois, comme dans les pays marécageux, il
faut ensuite bien des fortifiants, du temps et des
soins pour remédier aux désordres, pour rendre
au système nerveux sa vigueur perdue.

M. C***, au moment de nous écrire, avait surtout besoin de restaurer ses forces. Nous conseillâmes quelques pastilles de chocolat ferrugineux
pour régime, du bouillon de bœuf dégraissé, des
œufs frais à la coque, quelques morceaux de
viandes blanches rôties, un peu de vin vieux

étendu d'eau fraîche sucrée ; de l'exercice suivant
les forces dans la chambre d'abord, plus tard dehors, au grand aïr.

Après dix-sept jours, M. C*** put faire le voyage
de Lyon pour aller se montrer au médecin. Il
était un homme d'assez haute taille, au corps
fluet, d'un tempérament nerveux, d'un caractère bon, mais vif et très-sensible. Sa figure portait encore la trace de la fièvre intermittente : elle
était blême, jaunâtre.

Nous insistâmes sur le chocolat dont on devait
augmenter la dose ; plus tard, nous ajoutâmes un
mélange de sirop d'écorces du Pérou et d'oranges.

Il y eut plusieurs rechutes provoquées par les
causes les plus légères.

Après plusieurs alternatives de mieux et de pire,
le malade, devenu moins impressionnable, continua son traitement avec succès, et, après trois
mois, il avait recouvré sa bonne mine, ses forces
et son activité intellectuelle.

———

Voilà un homme de trente ans, qui se déclarait
valétudinaire depuis l'âge critique de la puberté,
époque assez féconde en maux de nerfs, surtout
chez les jeunes filles. Si alors on eût été assez

heureux pour rétablir ses digestions, quel service ne lui eût-on pas rendu et pour la vie, car l'adolescent, qui passe vingt et un ans, vingt-cinq ans, avec l'estomac dérangé, doit s'attendre à n'avoir jamais une complexion robuste. L'estomac pourra se remettre, mais il restera délicat, ne s'exposant pas impunément aux écarts de régime.

Quelque temps après sa guérison, M. C⁕⁕⁕ crut devoir revenir habiter Lyon, qu'il avait quitté pour des raisons d'économie, alors que sa faible santé ne lui permettait pas de s'adonner à aucun travail.

Il y était depuis plusieurs mois, occupé aux écritures dans une administration, quand il vint nous voir, triste et inquiet.

« Depuis votre traitement, nous dit-il, je ne digère pas mal ; l'estomac va assez bien, mais mon cerveau est dans un état que je ne saurais décrire : il est comme apathique. Ai-je une lettre à faire, il ne me vient pas une idée ; ma plume reste immobile devant le papier blanc. »

M. C⁕⁕⁕ avait éprouvé des revers de fortune, son imagination avait beaucoup travaillé : le temps, qui adoucit les autres peines, ne fait souvent qu'aigrir celle-ci.

Le cerveau, comme tout viscère qu'on a occupé

sans relâche, était lassé et avait perdu son énergie. Il fallait la lui rendre, le remonter, pour ainsi
dire.

Nous prescrivîmes un électuaire avec 10 gr.
de quina et 4 gr. de safran de mars apéritif.

La semaine suivante, on porta le quina à la dose
de 15 gr., et, après trois semaines, M. C*** vint
nous remercier. Il allait bien, faisait sans peine
sa correspondance, et ne pensait pas avoir aucun
besoin de remèdes.

Les toniques avaient guéri l'estomac, ils guérirent le cerveau. C'est que le mal était de la même
nature dans l'un et l'autre viscère, une affection
nerveuse avec atonie.

Dans ces cas, que la douleur se fasse sentir au
cœur ou aux poumons, à la tête ou à l'épigastre,
le siége est indifférent, et le traitement doit être
identique.

La cure de M. C*** est une des mille preuves
que, dans la gastralgie, l'opium n'est point toujours nécessaire : on la voit tous les jours céder
aux toniques purs, sans adjuvants des opiacés,
même chez des personnes d'un tempérament éminemment nerveux.

Oui, nous le déclarons avec plaisir, nous avons

vu, dans notre pratique, les toniques sagement
administrés guérir toutes les variétés de gastralgies, que l'affection gastrique fût simple ou compliquée, accompagnée du *pyrosis* (fer chaud), cette
ardeur du cardia qui se communique à l'œsophage
et remonte jusqu'à la gorge, de vomissements
glaireux ou alimentaires,

De malacie, pica, cette dépravation du goût qui
fait désirer des substances peu ou point nutri-
tives, comme la craie, le charbon, le mortier des
murailles, de la poussière et des choses dégoû-
tantes,

De la boulimie, appétit vorace avec malaises,
anxiétés, défaillances,

De l'entéralgie, vives douleurs intestinales, avec
ou sans dévoiement.

Or, les toniques sont alimentaires ou médicamenteux.

Les premiers sont une nourriture substantielle,
contenant beaucoup de sucs nutritifs, et, en particulier, le régime animal.

Dans certains cas, suivant la cause de la gastralgie, les toniques alimentaires suffisent pour
obtenir une guérison; mais le plus souvent, pour
les faire supporter aux estomacs affaiblis, dou-

loureux, il est nécessaire de recourir aux médicaments.

Les principaux toniques médicamenteux sont
le fer, le quina et les autres amers, la conserve de
roses et les glands de chêne.

Nous administrons du fer la limaille porphyri-
sée, le sous-carbonate et le carbonate, le lactate de
fer (ce dernier en sirop).

Le fer, réduit en poudre impalpable, s'incor-
pore très-bien dans de la conserve de roses et du
sirop, et mieux, dans du cacao de bonne qualité;
le chocolat ferrugineux convient au plus grand
nombre des malades qui ont besoin des toniques.

Nous ne conseillons pas l'eau ferrugineuse ni
la teinture de fer, parce que la plupart des gastralgiques ne veulent pas de boissons, et que la
teinture peut les irriter.

L'écorce du Pérou est, de tous les amers, le plus
fortifiant et le moins susceptible d'irriter. Il est
donc bien préférable à la gentiane, au trèfle d'eau,
au quassia amara, etc. Il a seulement l'inconvénient d'être plus coûteux.

Nous le prescrivons en extrait, en poudre et en
sirop. La poudre, souvent unie au fer, se mêle ai-

sément à la conserve de roses, qui en masque l'a-
mertume.

Le sirop de quina est d'ordinaire trouble, lou-
che et dépose beaucoup. Nous avons connu des
pharmaciens qui réussissaient à le faire aussi
limpide qu'une liqueur. Néanmoins, nous avons
la coutume de le couper avec un sirop aromatique, de menthe, d'écorces d'oranges, etc. L'a-
rôme de ce dernier rend l'autre plus agréable, et
il se digère plus aisément.

Nous n'avons gardé d'employer la décoction de
quinquina : elle irrite presque toujours et ne saurait être prise longtemps. Les malades les moins
difficiles, les plus courageux, y renonceraient bien
vite.

Nous usons rarement de la gentiane, le quina
des pauvres, ni du quassia amara, quassia sima-
rouba, du Colombo, ou de la saponaire.

La conserve de roses est un tonique doux, légè-
ment astringent, salutaire dans la plupart des
gastralgies, utile surtout comme véhicule, exci-
pient, pour envelopper les poudres toniques.

Barras vantait beaucoup l'extrait de glands de
chêne. Notre pratique ne nous a rien appris de
particulier à son sujet. En infusion, en guise de

café, les glands conviennent à beaucoup de gastralgiques, qui les prennent avec plaisir.

AFFUSIONS, BAINS FRAIS

Il n'est point rare de rencontrer des gastralgiques à qui les opiacés sont contraires, et qui ne
peuvent supporter la moindre parcelle d'un remède fortifiant : c'est qu'il y a une grande débilité
unie à une susceptibilité nerveuse excessive. Leur
douleur d'estomac n'est pas assez intense pour réclamer le sirop de morphine, le lait d'ânesse et
autres sédatifs, et une dose minime de quinquina,
de fer, les irrite, donne des pesanteurs, en un
mot aggrave le mal.

Que faire alors? Il faut adresser les remèdes à
la peau; et à cause de la liaison intime qui existe
entre la muqueuse gastrique et l'enveloppe cutanée, grâce à leur synergie, au retentissement de
l'une à l'autre, en calmant et tonifiant les téguments, on calme et on tonifie l'organe de la digestion.

Pour produire cet heureux effet, on a recours
aux lotions, et mieux, aux affusions froides ou

tempérées, suivant les sujets plus ou moins irritables, et par le procédé hydrothérapique.

C'est un moyen puissant et précieux dans les cas dont il s'agit.

Mais il n'est point du goût de tous les malades, et les établissements hydrothérapiques se trouvent clairsemés sur le territoire de la France.

À Lyon, dans la belle saison, nous avions la coutume de prescrire alors l'usage des bains dans le courant du Rhône, et ils réussissaient d'ordinaire avec une rapidité merveilleuse.

Le gastralgique se baignait quatre à cinq minutes, puis sortait de l'eau, pour revenir le lendemain et les jours suivants.

À mesure que le corps devenait moins impressionnable, on prolongeait la durée du bain, et, après quinze à vingt jours, on pouvait rester dix minutes, jusqu'à un quart-d'heure.

Le contact de l'eau à la température du bain frais détermine une légère horripilation, surtout quand on n'y est pas habitué ou qu'on y entre graduellement. Le sang, fuyant la surface, est refoulé à l'intérieur : il y a évidemment congestion dans la profondeur des organes.

Aussi la peau est froide et pâle, le visage un peu

jaunâtre, la tête, la poitrine et l'estomac paraissent comprimés ; les membres se contractent et le volume du corps diminue. Mais bientôt l'état de malaise occasionné par le refoulement des liquides de la périphérie du corps vers le centre est remplacé par un bien-être sensible. Il s'établit une réaction puissante et salutaire. Le sang afflue plus abondant vers la surface et inonde l'enveloppe cutanée, par une loi prévoyante de la nature, qui réunit toutes ses forces afin de repousser l'ennemi (le froid) qui vient de l'assaillir.

Au sortir de ce bain, on se sent plus fort, plus dispos ; la contractilité musculaire s'accroît, l'appétit est plus vif et la digestion plus facile.

OBSERVATION

En juin 1846, Madame B***, de Lyon, quartier des Chartreux, vint réclamer nos conseils pour des malaises d'estomac qui la faisaient souffrir depuis nombre d'années, malaises parfois assez intenses pour troubler les digestions et occasionner de temps à autre de véritables indigestions, avec coliques, dévoiement, etc. Elle avait trente-deux ans, une taille élevée, un tempérament lymphatique-nerveux, le visage anguleux, amaigri, le

14

teint blême, la physionomie inquiète et triste.

Déjà on lui avait fait suivre de loin en loin plusieurs traitements : aucun, assurait-elle, ne l'a-
vait soulagée.

Nous conseillons matin et soir du diascordium,
et dans la journée trois à quatre cuillerées à café
de sirop de morphine.

Après huit jours, à la deuxième visite, la malade accuse des maux de tête, auparavant inconnus, avec diminution de l'appétit et constipation
très-opiniâtre ; du reste, aucun mieux du côté de
l'estomac.

On quitte le diascordium et le sirop de morphine ; on prescrit un opiat avec conserve de
roses, sirop aromatique, et deux grammes de sous-
carbonate de fer, à prendre en huit jours.

Troisième semaine : le remède ne fatigue pas ;
pourtant il a paru lourd deux ou trois fois, la
céphalalgie n'a pas continué, les selles sont moins
difficiles, mais la digestion est toujours aussi laborieuse.

On double la dose du sous-carbonate.

Quatrième semaine : soif, resserrement douloureux de l'épigastre, chaleur abdominale, brisement des membres, sommeil agité.

La malade interrompt quatre jours le traitement; quand elle est revenue à son état ordinaire, on remplace le fer par de l'écorce du Pérou à très-faible dose.

Cinquième semaine : « Je vois bien, nous dit la malade, qu'il me faudra renoncer à tous les remèdes. Ce dernier opiat m'irrite l'estomac et aggrave mon mal : je ne puis le continuer. »

Nous l'engageons à recourir aux bains frais du Rhône. Mais ces bains répugnent à madame B***, et elle n'y a pas confiance.

Sur notre assurance que bien d'autres gastralgiques en ont éprouvé un soulagement immédiat, elle nous promet d'essayer.

La première fois, elle ne fait guère que se glisser dans l'eau pour en sortir de suite; mais le lendemain, elle y reste deux ou trois minutes, et commence à n'en plus avoir peur.

Au troisième bain, quatre minutes, et après quinze jours elle se baigne durant dix minutes sans frisson, sans malaise.

Au bout du mois, elle a du plaisir à ces bains, les prolonge un quart-d'heure, et son état s'est bien amélioré.

Alors nous n'hésitons pas à prescrire un élec-

tuaire avec fer et quina, quantité raisonnable.
Il n'est pas senti sur l'estomac ; la digestion est
de moins en moins laborieuse ; plus de coliques
ni de dévoiement ; le teint s'éclaircit, le regard
s'anime, et après plusieurs semaines de toniques,
Madame B*** a pris des couleurs, de l'embonpoint, et sa mélancolie a fait place au contentement qui accompagne une guérison inespérée après
de longues souffrances.

Il est de toute évidence que si Madame B***
parvint à supporter les médicaments actifs, si elle
fut délivrée des douleurs gastro-intestinales qui
la tourmentaient depuis des années, si en un mot
elle retrouva une santé florissante, c'est aux bains
frais du Rhône qu'elle en fut redevable.

Ces bains, par leurs effets sédatif et tonique,
fortifièrent et calmèrent les nerfs du ventricule.
Ils permirent à cet organe de digérer facilement
les toniques actifs qui accélérèrent la guérison,
laquelle aurait probablement été obtenue par les
bains seuls, mais avec beaucoup plus de temps.
Ils agirent, en vertu de la solidarité qui règne
entre l'action cutanée et l'action digestive.

Il y a antagonisme entre les fonctions de la peau et celles des voies urinaires : si la sueur diminue, la sécrétion de l'urine augmente, et réciproquement.

Chez les malades affectés du diabètes, qui urinent prodigieusement, la peau reste constamment sèche et rude.

Mais il en est tout autrement avec l'estomac : la faiblesse et l'énergie de l'une entraînent la faiblesse et l'énergie de l'autre.

L'homme de cabinet qui transpire peu est sujet à se plaindre de ses digestions, tandis que le cultivateur et le forgeron se nourrissent d'aliments grossiers qu'ils ne sentent pas.

Le rhumatisant dont les douleurs se réveillent dans les temps froids, humides, ne tarde pas à accuser une certaine gêne à l'épigastre; la digestion devient lente et quelquefois douloureuse.

Comment cet effet s'opère-t-il? D'une part, l'humidité pénètre et ramollit les téguments et la profondeur des chairs; de l'autre, le froid surprend et irrite les rameaux nerveux qui s'épanouissent dans leur intérieur, et cette constriction réagit sur les nerfs gastriques.

C'est par cette solidarité qu'on explique le succès des bains de mer et des bains d'eaux minérales dans les viscéralgies.

Deux rivières, le Rhône et la Saône arrosent la ville de Lyon. La première roule avec rapidité son eau claire et limpide; la Saône promène lentement ses eaux grasses et épaisses. Dans la belle saison, les rayons solaires ne font que glisser à la surface du Rhône; ils échauffent les couches profondes du cours de la Saône. Aussi les bains de cette rivière sont chauds ou tièdes, tandis que ceux du Rhône sont frais et assez froids.

Les uns affaiblissent et les autres fortifient.

Les premiers sont contraires aux gastralgiques débilités, lesquels n'ont qu'à se louer des seconds.

Ainsi les bains du Rhône et des autres grands fleuves peuvent rendre de grands services dans certains maux de nerfs.

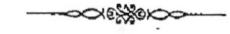

BAINS DE MER

Le bain de mer est encore un tonique dont l'action est complexe. Il agit par sa température et par les substances qui entrent dans l'eau marine.

Par sa température, le bain de mer doit être rangé parmi les bains froids, dont il a les effets immédiats, auxquels il faut joindre celui des sels que l'on rencontre dans sa composition.

Les particules salines, en augmentant la densité de l'eau, rendent moins facile l'échauffement des parties de ce liquide en contact avec le corps, et diminuent la rapidité de la soustraction du calorique.

En irritant la peau, elles tendent à favoriser le retour de la circulation vers la périphérie. Ainsi l'immersion dans la mer a pour résultat l'augmentation d'activité dans la circulation des organes intérieurs vers lesquels les liquides sont momentanément refoulés ; une augmentation d'activité dans la circulation de la périphérie, enfin la vive perturbation, l'exaltation et les efforts réitérés des nerfs pour s'opposer à l'action stupéfiante du bain de mer et rétablir l'équilibre des fonctions momentanément interrompu.

Le bain de mer est très-bien indiqué dans les cas où l'économie entière est frappée d'atonie, plus particulièrement dans les scrofules (humeurs froides), dans les convalescences après une longue maladie, la chlorose (pâles couleurs), la leucorrhée (flueurs blanches), dans toutes les hémorragies passives et les écoulements chroniques, blennorrhée, pertes séminales, etc., spécialement dans les névrôses, certaines convulsions des enfants, chorée, hystérie, quelques épilepsies (mal caduc), dans la gastralgie, l'entéralgie, les calculs biliaires, les engorgements du foie, dans les névralgies, les palpitations de cœur de nature nerveuse.

Le bain de mer est donc très-utile dans les débilités, dans l'affaiblissement avec douleur du système nerveux.

Le bain de mer et le bain de rivière ont bien leurs contre-indications, leurs dangers, ainsi que tous les médicaments actifs.

Les femmes enceintes doivent s'en abstenir, à cause de la pléthore produite par la grossesse. Il ne faut pas les conseiller non plus aux vieillards, à cause du défaut de réaction.

Tous les gastralgiques, dont le corps fluet et les membres grêles sont très-sensibles, très-irritables, sont impressionnés douloureusement par le contact de l'eau froide. Elle leur donne des crampes, des douleurs aiguës, que fait oublier à grand'peine une réaction toujours lente et diffi-cile. Quand bien même leur état d'atonie réclame des fortifiants, ils doivent se garder de recourir à ces sortes de toniques, qui sont pour eux des ir-ritants.

Nous avons cité une dame de Lyon, douée de ce tempérament, laquelle, après divers traitements infructueux, ayant été prendre les bains de mer à Marseille, en revint plus fatiguée, plus souf-frante.

LES EAUX MINÉRALES

Les médecins qui ont écrit sur les affections nerveuses, et en particulier sur la gastralgie, font à
peine mention des eaux minérales. Plusieurs n'en
disent pas un mot, sans doute parce qu'ils n'ont
pas été à même d'en user, d'en apprécier les bienfaits dans les névrôses.

Pomme les proscrivait toutes, comme trop excitantes et incendiaires; et en cela, il était conséquent avec son système, d'après lequel on devait
traiter toutes les vapeurs au moyen d'une boisson
abondante d'eau de poulet ou de veau, et de bains
répétés et prolongés d'eau simple.

L'éclectique Tissot, qui a passé complaisamment en revue la foule des médicaments qu'il em-
ployait avec plus ou moins d'avantages, suivant
l'occurrence, dans les maux de nerfs, se tait ou à
peu près touchant les eaux thermales, dont plusieurs sont pourtant des toniques par excellence,
que la nature fournit abondamment dans un grand

nombre de localités, qui sortent des entrailles de la terre formés, composés de toutes pièces, pour la cure des infirmités humaines.

Ils sont particulièrement précieux à cause de leurs effets multipliés et complexes, et souvent aucun remède de pharmacie ne saurait les remplacer. D'ailleurs leur réputation ne date pas d'hier : elle a commencé avec les malades des nations civilisées. Au temps du paganisme, les Romains les avaient en vénération : ils recherchaient surtout les eaux *chaudes;* les recueillaient avec soin dans des monuments dont on trouve çà et là des ruines majestueuses.

Avec l'ère chrétienne, à mesure que l'Évangile multiplia le nombre de ses disciples, les eaux minérales furent de moins en moins fréquentées. La foi naissante des peuples les dégoûtait de tout ce qui se ressentait du luxe et de la sensualité des gentils, grands partisans des bains et des piscines.

Quand les barbares du Nord envahirent l'empire romain, le pillage, le meurtre, l'incendie, la famine, toutes les calamités désolèrent les provinces : la terreur et la misère firent délaisser les thermes. Alors les sciences et la médecine se ré-

fugièrent dans les monastères : les cénobites atti-
raient les malades à leurs hospices, dans les
maisons de santé qu'ils fondaient et desservaient
en qualité de prêtres et de médecins. Les cœurs
se tournaient du côté de la retraite ; on s'assem-
blait sans cesse auprès des églises, d'où procé-
daient toutes sortes de consolations. Plus tard,
les pèlerinages faisaient un exercice commun,
utile et décent pour les valétudinaires. Les ecclé-
siastiques s'occupaient autant des moyens mo-
raux que physiques pour policer les nations et
adoucir les mœurs. Ils copiaient les manuscrits
des Grecs et des Arabes, et conseillaient seulement
les remèdes qu'ils y trouvaient indiqués. Les bains
publics étaient regardés comme des pratiques peu
honnêtes pour des chrétiens qui, se fournissant
peu à peu de linge, avaient moins besoin de s'occuper de lotions à la manière des païens et des
mahométans : ils préféraient les bains d'eau douce
aux eaux minérales, qu'il était d'ailleurs dangereux d'aller chercher au loin.

Ce n'est que depuis la renaissance des lettres,
après la découverte de l'imprimerie et de la poudre
à canon, qu'on les a conseillées de nouveau, et jamais elles ne furent tant fréquentées que dans

le temps où nous vivons, sans doute à cause des nouveaux moyens de locomotion, qui rapprochent les distances, et diminuent de beaucoup les fatigues de la route.

Néanmoins, on rencontre encore à leur sujet des préjugés funestes dans un certain monde. Si vous proposez les eaux à tels ou tels gastralgiques, soudain découragés, ils s'imaginent que vous ne voyez aucun remède pour les soulager et les guérir : ils croient que les eaux ne conviennent qu'aux riches désœuvrés qui ont plus besoin de distractions que de médicaments. Ils vous citeront de suite telle ou telle de leurs connaissances, revenue des eaux sans amélioration dans ses douleurs.

Mais l'inconvénient le plus grave réside dans l'incertitude où se trouve quelquefois le médecin, qui l'empêche de désigner à tous ses malades la source la mieux appropriée à l'état de leurs nerfs gastriques. Pour les eaux minérales, comme pour les autres remèdes, il faut plus d'une fois tâtonner, essayer avec prudence, afin de ne pas nuire. Néanmoins, comme la plupart des localités en réputation ne comptent pas seulement une fontaine, mais en possèdent plusieurs, et quelques-unes un grand nombre, qui varient de goût, de température, d'activité et même de propriété, pour peu que le médecin inspecteur soit familiarisé avec les maladies nerveuses, on a rarement à se repentir d'avoir envoyé un gastralgique à telles ou telles eaux, qui obtiennent habituellement des succès dans ces affections.

Ainsi, à ne citer que Vichy, la fontaine dite des *Célestins* attire spécialement les goutteux : elle est froide, limpide et gazeuse. La fontaine de l'*Hôpital* est chaude et barégienne ; elle convient dans la gastralgie atonique, au début du traitement. L'eau du *Puits-Carré* est plus active ; elle peut même irriter l'estomac que celle de l'*Hôpital* aura calmé.

A quelques pas du *Puits-Carré*, on voit la source *Chomel*, conseillée de préférence aux gastralgiques affectés de la toux ; et enfin la fontaine des *Accacias*, quelque peu sulfureuse, est préférée par les malades chez qui les mauvaises digestions ont déterminé depuis longtemps une éruption à la peau que la guérison de l'estomac pourrait ne pas faire disparaître.

Mais toutes ces sources sont alcalines, et, par conséquent, fondantes, résolutives ; toutes sont

très-utiles dans les engorgements des viscères abdominaux.

Il ne faut point oublier que les eaux minérales sont plus ou moins excitantes : on doit
donc s'en abstenir dans les gastralgies avec éréthisme, avec une vive susceptibilité qui réclame
les calmants, les narcotiques, le sirop de morphine, le lait d'ânesse, etc.

En général, on peut établir que les eaux acidules gazeuses conviennent dans le premier degré
de la gastralgie, dans la *dispepsie*, où la digestion
est lente et pénible, mais sans un dégagement
abondant de gaz et de renvois.

On lit dans le *Dictionnaire de médecine* (tom. 9,
1835) : « Ces eaux (les gazeuses) déterminent chez
tous les individus un refroidissement plus remarquable que toutes les autres eaux froides, et qui
se propage de la bouche jusque dans l'estomac ;
mais, ensuite, elles provoquent une légère excita-
tion qui a quelque analogie avec celle que déterminent certaines liqueurs alcooliques gazeuses, ce
qui fait considérer ces eaux comme enivrantes. Le
fait est, qu'en même temps qu'elles excitent l'estomac et facilitent la digestion, elles réagissent
promptement sur le système nerveux cérébral

d'une manière toute particulière, et qui est assez comparable à celle des vins mousseux. Certains malades éprouvent, après l'usage des eaux gazeuses, une sorte d'étourdissement, d'embarras, de vague dans les idées, qui s'accompagne de quelque hilarité, comme dans une légère ivresse; d'autres, au contraire, plus irritables, reconnaissent leurs effets à une céphalalgie incommode et à une agitation qui les prive de sommeil.

« Ces eaux sont utiles à bien des hypocondriaques, parce qu'elles stimulent à la fois leurs organes digestifs et leur système nerveux. »

Quand la gastralgie s'accompagne d'un profond épuisement, d'une constitution bien détériorée, il faut recourir à des eaux plus toniques, aux salines et aux ferrugineuses; car, dans ces cas, il ne suffit point d'exciter l'estomac, de réveiller l'action digestive, on doit encore enrichir le sang appauvri, et rendre aux tissus la vigueur, la tonicité qu'ils ont perdue.

Les principales eaux gazeuses sont, en France, les eaux minérales de Bar (Puy-de-Dôme), Château-Gontier (Mayenne), Dax (Landes), Montbrison (Loire), Néris (Allier), Pougues (Nièvre), Saint-Alban (Loire), Saint-Nectaire (Puy-de-Dôme), Vichy (Allier).

Nous nous empressons d'avertir que plusieurs de ces sources auraient autant de droit d'être comptées parmi les salines et les ferrugineuses qu'au nombre des acidules gazeuses.

Les eaux minérales ont une vertu intrinsèque impossible à nier : prises à domicile, elles obtiennent tous les jours des succès. Elles ne doivent donc pas leur réputation à un moment d'enthousiasme et d'engouement, ni aux caprices de la mode, mais aux guérisons opérées tous les ans sur une foule de malades. Sans doute, comme l'a écrit M. le docteur Guersent, les eaux minérales naturelles, bues à la source et sur les lieux, ou transportées loin de la source, offrent des résultats très-différents, à cause de l'influence hygiénique qui agit sur le malade. La médication qu'on obtient est nécessairement le produit de plusieurs médications réunies, dépendantes de l'influence de l'air, du climat, de la température, et des changements dans la manière de vivre, dans les habitudes et les idées des individus qui se rendent à l'établissement thermal. Plusieurs médications hygiéniques se joignent donc ici à l'action médicamenteuse. C'est surtout pour l'habitant des grandes villes, élevé mollement et livré à des occupations sédentaires, que l'influence hygiénique des eaux est très-remarquable. Ne voyons-nous pas souvent, dans la pratique de la médecine, des effets étonnants d'un air pur et salubre, d'un climat doux, sec ou chaud, sur les êtres faibles, convalescents ou valétudinaires? Combien d'affections chroniques diminuent et guérissent même complétement par l'effet seul d'un changement de climat! Que d'individus, destinés à périr promptement dans nos grandes cités, recouvrent la santé et une nouvelle vie au milieu d'une température bienfaisante! Qui ne connaît aussi tout ce que peuvent le repos de l'esprit et du cœur, et la cessation complète de tous les travaux du cabinet, pour des hommes sans cesse tourmentés par de grands intérêts, intérêts qui peuvent compromettre à chaque instant leur fortune ou leur honneur! Que de bien-être le charme d'une vie douce et tranquille, au milieu d'un site champêtre, ne peut-il pas produire sur un homme ambitieux, tourmenté par la crainte de quelques revers ou l'espérance d'un succès, ou pour cet autre qui est fatigué des plaisirs et exténué par les veilles et les excès de tous les genres! Que ne peut aussi l'espoir de la santé et du bonheur qu'elle ramène chez un malheureux mélancolique, dégoûté de la médecine et des docteurs ! »

Nous aurions donc grand tort de négliger des remèdes qui réunissent autant d'avantages, et que la nature offre en cent lieux divers, moyens précieux que l'on voit réussir quelquefois où ont échoué tous les médicaments de la pharmacie. Seulement, nous devons nous appliquer à discerner les vertus particulières de chaque source, les indications qu'elle est appelée à remplir, afin de ne pas exposer des malades à quitter en vain leurs affaires et leur famille, à aller suivre un traitement qu'ils auront la douleur de voir inutile ou contraire.

Parmi les ferrugineuses, il faut préférer celles qui sont gazeuses, comme étant plus faciles à digérer.

On distingue parmi les eaux salines, les salines simples, les alcalines et les purgatives.

Ces dernières ne conviennent à peu près jamais dans les gastralgies. Elles augmentent l'irritation, les spasmes du tube digestif.

Il y a un choix à faire entre les salines du Mont-d'Or, de Néris, de Plombières, de Luxeuil, de la Bourboule, de Bourbon-l'Archambault, de Bourbon-Lancy, de Contrexeville et de Gréoulx.

Bien des gastralgiques trouvent la santé aux eaux alcalines de Vichy, de Saint-Alban, de Chaudes-Aigues, de Carlsbadt, de Tœplitz, etc.

On peut subdiviser les eaux sulfureuses en trois groupes distincts : les sulfureuses baréginées, les sulfureuses iodurées, et les sulfureuses acidules.

Dans la première section se trouvent toutes les sources principales des Pyrénées : de Barèges, de Cauterets, de Bagnères, de Bonnes et de Saint-Sauveur, qui ont joui d'une réputation méritée contre les affections nerveuses de l'estomac.

Les Bordeu ont signalé des centaines de guérisons obtenues aux Pyrénées dans les désordres des voies gastro-intestinales.

Les sulfureuses iodurées sont nuisibles dans les maladies spasmodiques, à cause de leurs propriétés irritantes.

Il est bien entendu qu'on n'envoie les gastralgiques aux eaux minérales, qu'après leur avoir administré les toniques moins coûteux de la pharmacie, ces moyens simples qui réussissent d'ordinaire, et qu'on prend chez soi sans effort, sans répugnance.

C'est par centaines que nous pourrions signaler des malades à qui nous avons rendu la santé au moyen de trois ou quatre flacons de sirop, ou autant d'opiats, ou quelques livres d'un chocolat et de café de glands.

Or, on serait coupable de négliger un traitement aussi commode, et de prescrire de préférence des voyages dispendieux, une absence prolongée et des remèdes dont l'effet est loin d'être toujours heureux.

Mais si on a affaire à ces névropathiques chez qui le moral est particulièrement affecté, qu'il importe d'arracher à leurs habitudes, aux tracas des affaires, qui ont besoin d'un bon air, de distractions et de sociétés agréables, alors il n'y a pas à hésiter : on laisse là tous les médicaments, et on les envoie noyer leur tristesse et leurs douleurs dans la piscine des eaux thermales.

OBSERVATION

En 1850, M. B***, fabricant de chaises, à Tarare (Rhône), trente-six ans, d'une taille moyenne, d'un tempérament bilieux et nerveux, avait une de ces gastralgies simples, qui, sans être douloureuses, ne laissent pas que d'inquiéter, en diminuant les forces, et rendant à la longue tout travail sinon impossible, au moins très-pénible.

Cet homme n'avait encore essuyé aucune maladie, ni consulté aucun docteur : aussi espérait-il que son estomac se remettrait de lui-même.

Il prenait moins d'aliments, choisissait les plus légers : néanmoins, après chaque repas, il éprouvait des pesanteurs épigastriques, avait une grande lassitude, comme une apathie qu'il ne pouvait s'expliquer. Il devenait de plus en plus morose, impatient, mécontent de lui-même et des autres.

Enfin, il céda aux instances de sa jeune femme, affligée de le voir maigrir de plus en plus, et de l'entendre se plaindre tous les jours.

On le mit à l'usage des adoucissants, des potions calmantes, qui par le fait ne calmèrent rien. Après plusieurs semaines de remèdes inutiles, il fut envoyé aux eaux de Vichy; son médecin lui assura qu'elles étaient de tous les moyens curatifs le meilleur, et qu'il en reviendrait bien portant.

Le malade partit avec empressement, décidé qu'il était à aller au bout du monde chercher la guérison dont il commençait à désespérer.

Il prenait tous les jours un bain, et buvait au *Puits-Carré* quatre, puis cinq, puis six verres, les digérait sans peine et ne s'en trouvait pas mieux.

Il était arrivé au vingt-sixième jour du traitement sans voir son état s'améliorer; il se chagrinait d'entendre des gens autour de lui préconiser la vertu des eaux, quand le hasard fit tomber dans ses mains notre brochure sur les maux de nerfs et les mauvaises digestions. Il se réjouit en lisant les symptômes du mal qu'il endurait, et s'en retourna bien vite à Tarare. Deux jours après, il était à Lyon, dans notre cabinet. Nous crûmes pouvoir d'emblée lui administrer les toniques, le sirop de'quina, mêlé au sirop d'écorces d'oranges, avec un opiat contenant à la fois du sous-carbonate de fer et de l'écorce du Pérou, à dose raisonnable.

Dès le surlendemain, M. B*** ressentit un mieux qui confirma son espérance, et après huit jours, à la seconde visite : « Je suis bien satisfait, nous dit-il, vous me voyez enchanté de l'heureux effet de vos remèdes. Je mange davantage; surtout la digestion est bien moins fatigante, et il me semble que je suis maintenant assez fort pour reprendre mes occupations. »

Nous n'eûmes qu'à continuer dans le même sens, et après quatre semaines, il vint nous remercier de lui avoir rendu la santé, qu'on l'avait envoyé chercher au loin et à grands frais, tandis qu'il y avait auprès de lui des remèdes simples, agréables, et surtout plus efficaces.

———

Le soulagement obtenu si promptement par les toniques démontre que le premier docteur ne les avait point ordonnés. Il eut sans doute à regretter cette omission, car, avec l'honneur de la guérison, il aurait épargné à son malade bien des dépenses, et, en lui gagnant du temps, beaucoup d'inquiétudes. Mais un grand nombre de praticiens ne voient dans les malaises gastriques qu'une *irritation*, qui, selon eux, demande les sédatifs, les adoucissants. Mais ce sont les fortifiants alimentaires et médicinaux qui ont la propriété d'apaiser cette *irritation*, ces douleurs, toutes les fois qu'elles ont pour cause la faiblesse, la langueur du ventricule.

OBSERVATION

Dans la même année, Madame P***, de Lyon, fixée depuis quelques années à la campagne, aux environs de Villefranche-sur-Saône, âgée de près de cinquante ans, était alitée, ayant la jaunisse, et condamnée à une diète presque absolue, à

cause des vives souffrances que réveillait le travail de la digestion.

Plusieurs mois avant, une affection morale
triste surprit cette dame, d'un naturel sensible et
irritable; il y eut de suite un resserrement à l'é-
pigastre et un poids dans la région du foie; l'appétit se perdit, et la digestion devint de plus en
plus laborieuse, en même temps l'ictère se manifesta dans les yeux, puis à la face, à la poitrine, etc.

Son médecin, craignant d'augmenter l'irritation des organes abdominaux, n'osait tolérer des
aliments; la malade, de son côté, tremblait de
manger. Mais avec la diète les forces diminuaient
de jour en jour, et bientôt on fut incapable de
se tenir sur ses jambes. D'ailleurs, comme il n'y
avait pas de fièvre, la diète exaspérait les douleurs nerveuses qui tourmentaient la patiente
dans toutes les parties de son corps. Dès qu'elle
sommeillait, des rêves pénibles s'emparaient de
son imagination; le cauchemar la réveillait en
sursaut, et dans l'état de veille comme pendant
le sommeil, elle était vraiment bien malheureuse.

Appelé en consultation, nous exigeâmes avant
tout qu'on nourrît la malade, qu'elle prît du

bouillon de bœuf, des laits de poule, des potages variés, et même un peu de vin vieux étendu d'eau sucrée.

Elle fut docile à nos conseils, et en peu de jours elle se trouva en état de sortir du lit, puis de paraître au dehors, au grand air, et de supporter les fatigues de la route pour aller à Vichy.

Là, la vue de tous les baigneurs, de ces joyeux étrangers qui accourent aux eaux pour refaire leur santé ou pour se divertir, ne contribua pas peu à la distraire de ses chagrins, et elle se sentit bien rassurée en entendant vanter l'efficacité des eaux de Vichy dans les lésions du foie et de l'estomac.

Pendant les huit ou dix premiers jours, elle ne prit que des bains. A cette époque, elle commença à supporter l'eau en boisson, coupée, étendue avec du lait, du sirop ou une tisane adoucissante. Bientôt elle en but deux verrées, puis trois verrées par jour. Le soulagement fut prompt et rapide; après quinze jours, Madame B*** prenait ses repas à table d'hôte, faisait des promenades en commun avec d'autres baigneurs, partageait leurs plaisirs, et au bout de quatre ou cinq semaines, on constatait la disparition de la jaunisse et des pesanteurs du côté droit, le rétablissement des digestions et le retour des forces.

Elle quitta Vichy, n'ayant aucun besoin de remèdes, le régime suffisant pour confirmer la guérison et lui rendre son embonpoint.

Madame P***, habitant une maison isolée au milieu des champs, languissait depuis plusieurs mois, et, livrée à elle-même, passait ses longues journées dans l'inquiétude et l'ennui : aussi ses nerfs étaient trop irritables pour permettre d'administrer des médicaments toniques. Le changement de lieu, la gaîeté de la compagnie, la vue des guérisons dont elle était témoin, lui ouvrirent pour ainsi dire le cœur à l'espérance, et furent un baume pour calmer ses nerfs affectés. Aussi put-elle supporter les eaux actives de Vichy, qui rétablirent sa santé, que tous les agents pharmaceutiques n'auraient pu lui rendre.

Elle était bien dans la catégorie des malades à qui Vichy est particulièrement salutaire, de ceux dont le témoignage, la reconnaissance ne peuvent qu'étendre au loin la réputation des thermes.

Mais tous les gastralgiques adressés aux nymphes des eaux ne reviennent pas également satis-

faits : il y a tant de variétés, d'anomalies, de bizarreries dans les affections nerveuses !

Vous avez reconnu que les toniques sont nécessaires; vous conseillez telle ou telle source ferrugineuse. Eh bien, à celui-ci, les eaux ferrugineuses ne conviennent pas; elles répugnent, elles
sont lourdes sur l'estomac : or, un remède qui
pèse ne fortifie pas. Celui-là, au contraire, ne
s'accommode point des eaux sulfureuses ou des
salines. A quelques-uns, il ne faut pas de remèdes
aqueux sous un grand volume; ils sentent qu'ils
ont besoin d'une alimentation et d'une médication
sèche plutôt que liquide. Parmi ces derniers, l'un
préfère le chocolat martial; un autre prend avec
plaisir, et se trouve admirablement, du sirop de
quinquina; un troisième, des excitants aromatiques.

Comment prévoir à l'avance l'idiosyncrasie, la
susceptibilité, les goûts particuliers de chacun?

Nous avons traité un grand nombre de gastralgiques chez lesquels l'exaltation de la sensibilité,
les douleurs nerveuses exigeaient d'abord l'usage
des calmants; après dix à douze jours, il fallait
associer les excitants aux sédatifs; plus tard, renoncer aux sédatifs et administrer les toniques

purs ; plus tard, le mieux restant stationnaire, en augmenter la dose indéfiniment, la doubler, la quatrupler, la décupler même ; enfin, l'estomac fonctionnant bien, mais le mal étant chronique et invétéré, pour ne pas soustraire brusquement l'organisme à l'influence du remède, le continuer et en diminuer graduellement la dose. Alors seulement, après deux ou trois mois, le traitement était complet et la guérison radicale.

Or, malgré la diversité, l'activité plus ou moins grande des nombreuses sources d'un établissement, il n'est point possible de varier ainsi le remède avec l'état des nerfs gastriques. Quand on a atteint un certain nombre de verrées par jour, force est bien de s'en tenir là, lors même qu'il est évident que cette eau n'est pas assez active pour opérer une cure parfaite. On devrait alors faire prendre concurremment des médicaments analogues ; mais la mode n'en est pas venue, ou cette habitude n'est pas contractée. MM. les inspecteurs craindraient-ils, par cette pratique, de déprécier leurs sources en avouant leur impuissance, leur insuffisance dans certains cas ? Aiment-ils mieux persuader à leurs malades que la guérison n'est opérée qu'assez longtemps après l'administration des eaux, quand ils sont rentrés dans leurs familles? Cette maxime est vraie pour quelques-uns, non pour le plus grand nombre.

Tels et tels gastralgiques s'applaudissent d'avoir été se baigner à Vichy, à Pougues, à Plombières; ils y ont laissé leurs malaises et leur mélancolie. Actuellement la digestion est normale; ils prennent de la fraîcheur et de l'embonpoint.

Deux mois, trois mois s'écoulent avec la même satisfaction, la même gaieté. Puis, à l'occasion d'un écart de régime, d'une contrariété, d'un accès de colère, la douleur d'estomac se fait sentir, la digestion se trouble : voilà la gastralgie qui se réveille. On s'attriste, on se désespère; on s'imagine qu'on est condamné à languir jusqu'au milieu de l'année suivante, à la saison des eaux; l'estomac se contracte de plus en plus, le travail digestif va en augmentant, et bientôt on a perdu le fruit de bien des peines.

Les rechutes sont faciles dans les maladies nerveuses : quand une fois l'équilibre est rompu dans les nerfs, il se dérange aisément dans la suite. Mais on a grand tort de se lamenter au lieu d'invoquer à l'instant les secours de l'art. Une récidive de quelques jours n'a pas produit tous les désordres qui existaient avant le traitement par les eaux minérales. Le médecin, informé des circonstances qui ont précédé, occasionné le retour du mal, appréciant au juste le degré de la lésion nerveuse, pourra rétablir l'ordre en diminuant la quantité d'aliments, choisissant les plus légers, et au moyen de quelques onces d'un sirop calmant, ou d'une potion tout à la fois calmante et aromatique; c'est-à-dire qu'avec fort peu de remèdes, pris à propos et au début, il dissipera le malaise. L'orage sera bientôt apaisé, et il ramènera sur l'eau le naufragé qui se laissait entraîner par le courant, et que le courant aurait fini par engloutir.

GASTRALGIES COMPLIQUÉES

Quand il n'y a pas de maladie aiguë qu'on puisse accuser des mauvaises digestions, celles-ci dépendent ou d'un embarras gastrique, ou d'un commencement d'affection organique (squirrhe, cancer), ou d'un état morbide des nerfs de l'es-

tomac. Le praticien, familiarisé avec les gastralgies, n'a pas de peine à les reconnaître toutes les
fois qu'elles sont simples, que la douleur, le malaise est fixé uniquement à l'épigastre. Chez quelques malades, la souffrance se fait sentir en même
temps à l'estomac et à la tête, ou au cœur, à la
poitrine, au côté droit, dans la région du foie ou
dans un autre viscère; c'est-à-dire que plusieurs
organes paraissent lésés, et, dans ces cas, il importe de ne pas prendre le change, de savoir discerner si la gastralgie est essentielle, ou dépendant
d'une autre affection.

En général, lorsque la douleur est de nature
nerveuse dans les deux parties, il faut adresser le
remède à l'estomac, et les fonctions digestives une
fois rétablies, tout rentre dans l'ordre; le cœur,
le cerveau, les poumons se trouvent débarrassés.

GASTRALGIE

AVEC NÉVRALGIE A LA POITRINE

Dans les premiers jours de janvier 1848, nous
fûmes appelé en hâte auprès d'une jeune femme

(madame D***, quai de Retz, à Lyon) qui se mourait, nous disait-on, d'une maladie de langueur.

Nous accourûmes : en entrant dans l'appartement, nous entendîmes une respiration haute et suspirieuse, des gémissements entrecoupés : la patiente avait un accès de convulsions; elle s'agitait, se tordait dans son lit; puis elle versa un torrent de larmes.

Son corps, long et fluet, était dans un état de maigreur, de marasme, qui faisait peine à voir : il semblait un squelette qui n'avait plus qu'un souffle de vie. Depuis nombre de semaines, la malade ne prenait à peu près aucune nourriture; elle vivait de quelques tasses de tisane, et, de temps en temps, d'un peu de bouillon, qui la fatiguait d'habitude. L'épigastre était peu sensible à la pression; mais elle accusait au haut de la poitrine une souffrance intolérable, comme si des griffes de fer lui arrachaient les chairs dans cette partie, surtout après avoir mangé, avoir avalé quelques cuillerées de potage. Aussi aimait-elle mieux endurer la faim que d'exaspérer ses douleurs. Mais la diète, sans la fièvre, et chez les gens nerveux, ne tarde pas d'engendrer d'autres maux auxquels rien n'est comparable. Elle se plaignait de picotements, d'élancements, particulièrement aux tempes, aux articulations des bras et des jambes, d'une cuisson, comme d'un sentiment de brûlure qui la tourmentait tour à tour dans l'abdomen, dans l'estomac, dans la poitrine, etc. Son sommeil était nul ou très-agité; l'infortunée n'avait de repos ni le jour, ni la nuit.

L'année auparavant, elle avait perdu son unique sœur qui était morte hectique, à l'âge de vingt-un ans, après avoir enduré longtemps de mauvaises digestions; et l'on s'attendait à voir l'aînée succomber d'un jour à l'autre à une maladie identique. Mais on était persuadé que les poumons étaient affectés : car, observait-on, le docteur ordinaire de madame D*** prescrivait le bouillon d'escargots.

Nous apprîmes indirectement que madame D***, d'un tempérament nerveux, d'une complexion délicate, mariée depuis neuf ans, n'avait cessé d'éprouver dans son ménage de ces ennuis qui usent, à la longue, la constitution la plus robuste. D'abord, elle s'était plaint d'un état de constriction à l'épigastre; les aliments pesaient, occasionnaient des renvois, la constipation devenait habituelle, et le caractère inégal. On consultait, on essayait les

remèdes quelques jours, puis on cessait tout, dès
que les malaises diminuaient : car le mal n'était
pas continu dans les premiers temps. Pendant un
voyage que fit madame D*** dans le midi, elle se
trouva plus souffrante, la gastralgie était intense;
elle vit un docteur à Marseille, un autre à Avi-
gnon, un troisième à Valence, et les digestions
n'en devinrent pas moins douloureuses.

Rentrée chez elle, bien affaiblie, elle garda la
chambre et bientôt ne sortit plus du lit : alors la
plus légère impatience, la moindre contrariété
provoquait des convulsions.

Il n'y avait pas de toux ni d'oppression, la respiration était grande et facile; évidemment les
poumons étaient sains. La langue volumineuse,
pâle et humide, démontrait la faiblesse, le ramollissement de la muqueuse stomacale.

Le mal était dans le ventricule; il fallait nourrir ces organes épuisés et rétablir la faculté digestive, calmer les nerfs gastriques et les fortifier.
Les douleurs à la surface de la poitrine étaient
sympathiques, et devaient disparaître avec les
mauvaises digestions.

1° Nous conseillâmes un opiat : conserve de
roses, sirop d'écorce d'oranges et de morphine,

avec un peu de sous-carbonate de fer, à faible dose d'abord ;

2° Un mélange de sirop d'écorce du Pérou, de menthe et de pavots blancs.

Ces deux remèdes ne fatiguèrent pas, ne réveillèrent point les souffrances pectorales. La malade digéra le bouillon de bœuf dégraissé, la gelée de lichen, le suc de volaille rôtie, et bientôt du vin de Bordeaux étendu.

On put bientôt augmenter la quantité des aliments et des remèdes, retrancher les sirops opiacés, et, après huit jours, les accès hystériques ne revenant pas, madame D*** eut la force de se lever et de faire quelques pas pour aller s'asseoir sur une chaise longue, près de la croisée. Elle passait là une grande partie de ses journées, essayait de se mouvoir dans la chambre, appuyée sur le bras de sa garde, puis revenait sur son siége.

Les forces augmentaient bien lentement. A notre première visite, les chairs n'étaient plus autour des os qu'à l'état rudimentaire.

Mais avec des médicaments de plus en plus toniques, une alimentation appropriée, de l'exercice, la malade, qui avait toute confiance en son

médecin et était pleine d'espérance, ne tarda pas
de pouvoir descendre l'escalier, et, en respirant
le grand air, sentit croître son appétit et sa vigueur.

A la fin de février, elle se promenait avec son
mari sur le quai du Rhône : il lui semblait vivre
d'une nouvelle vie, au moment où les bandes
d'ouvriers de la Croix-Rousse parcouraient les
rues de Lyon, hurlant *la Marseillaise* et procla-
mant la République, le *gouvernement du peuple*, etc.

Heureusement pour madame D***, elle avait
alors acquis assez de forces pour résister aux
émotions; autrement sa convalescence aurait été,
sans doute, retardée par la frayeur de ces manifestations *patriotiques*.

Il n'en fut rien, madame D*** n'essuya pas de
rechute. Les tiraillements douloureux de la poitrine ne se firent plus sentir dès que l'estomac
remplit ses fonctions. Nous avions donc eu raison
de n'en pas tenir compte, mais d'adresser le remède à l'organe essentiellement affecté.

Si le mal eût siégé dans les poumons, si le
bouillon d'escargots avait été utile, le fer et le

quinquina auraient été de l'huile dans le feu, ils auraient précipité la terminaison funeste : le traitement qui a guéri prouve encore en faveur de notre diagnostic; il démontre que la lésion résidait seulement dans l'appareil nerveux. D'ailleurs, l'ulcère des poumons ne détermine pas de douleurs vives; le phthisique est incommodé de la toux, de l'oppression, de la gêne qu'il éprouve à respirer : « Si je n'avais pas de toux, a-t-il la coutume de dire, je n'aurais plus de mal. »

Il est rare aussi, très-rare qu'il digère difficilement : il ne sent pas son estomac. On en voit qui sont brûlants de la fièvre de consomption, près de rendre le dernier soupir, et qui dévorent encore les aliments les plus indigestes.

Ainsi les parents de madame D*** se trompaient heureusement sur la nature de sa maladie; mais si le docteur eût partagé leur erreur, seulement l'espace de quelques jours, c'en était fait de la pauvre malade : elle n'aurait pas tardé de succomber de douleurs et d'épuisement, et nous aurions été privé de rencontrer plus tard cette belle et jeune femme dont la santé nous faisait réjouir de notre victoire, de ces victoires qui ne coûtent pas une goutte de sang, pas une larme, mais qui

font bénir dans une famille la science et le médecin.

AUTRE EXEMPLE

Dans l'année 1850, nous avons donné des soins
à un jeune homme de dix-sept à dix-huit ans,
d'une taille extraordinaire, aussi mince qu'elle
était haute.

Il se plaignait de mauvaises digestions, fréquemment suivies de coliques, dévoiement, etc. Depuis
quelque temps les forces diminuaient, ses joues
creuses avaient une blancheur mate uniforme,
presque le teint jauni des feuilles d'automne ; la
physionomie exprimait l'inquiétude et l'angoisse,
et il marchait tristement, comme embarrassé de
ses trop longues jambes.

Sa mère, qui l'accompagnait, nous prenant à
part, voulut connaître notre opinion. Elle craignait beaucoup moins pour les douleurs gastriques et intestinales que pour d'autres douleurs
que le malade lui avait accusées plusieurs fois au
côté gauche du dos, ou à la partie antérieure de
la poitrine du même côté. « C'était, disait-il, comme
une barre et parfois une lame de feu qui aurait
traversé le poumon. » La famille croyait à une lé-

sion pulmonaire, et elle n'ignorait pas quelle est la terminaison de cette affection chronique.

Un fils aîné, de vingt-quatre ans, avait succombé il y avait deux ans et demi, après quelques mois d'un mal de gorge, qui se compliquait toutefois de la toux, de l'enrouement, puis enfin de l'hectisie. Fallait-il donc encore faire le sacrifice du plus jeune, le seul qui leur restait?

Ayant interrogé, examiné attentivement le malade, nous acquîmes la certitude qu'il ne toussait point; qu'il pouvait marcher à grands pas sans être essoufflé; même dans l'accès de la douleur pectorale (car elle n'était point continue), la respiration ne demeurait pas moins facile. D'ailleurs cette douleur éclatait et disparaissait subitement, à la façon des névralgies.

En outre, l'inspection de la langue nous prouvait que l'estomac était gravement compromis; ses fonctions étaient laborieuses et incomplètes, et, à cet âge où les organes ont un si grand besoin de se développer, d'acquérir du ton et de la vigueur, le trouble prolongé des digestions avec flux de ventre, fait dépérir rapidement.

Néanmoins, nous nous sentîmes heureux de pouvoir rassurer le malade et sa bonne mère; de leur affirmer avec conviction que la poitrine était parfaitement saine; que la douleur qui les effrayait dépendait uniquement de la lésion des nerfs gastriques. En guérissant les nerfs du canal alimentaire, tous les malaises allaient s'évanouir.

Les gens nerveux sont ingénieux à se tourmenter : ils cherchent tout ce qui est capable de fermer leur cœur à l'espérance. De son côté, une mère qui a perdu un de ses enfants, tremble pour la vie des autres aussitôt qu'elle les entend se plaindre, surtout s'ils présentent quelque symptôme un peu grave. Aussi notre témoignage répété à plusieurs reprises ne les persuda qu'à demi. Ils ne comprenaient pas, sans doute, comment une maladie de l'estomac fait souffrir dans la poitrine. La guérison seule pouvait les convaincre de leur erreur.

Le jeune homme, naturellement très-courageux, avait persisté à suivre les classes du collége. Il est vrai qu'il avait souvent besoin de l'indulgence des professeurs. Nous fûmes d'avis qu'il abandonnât les livres, et qu'il ne songeât qu'à exercer son corps affaibli.

Il prit d'abord le diascordium, du sirop de morphine mêlé avec de la conserve de roses; peu après on retrancha le diascordium, le dévoiement ayant cessé, et à l'opiat on ajouta un peu de poudre ferrugineuse. Bientôt on en augmenta la dose, puis on la mêla à celle d'écorce du Pérou. Après six semaines, deux mois, le malade n'absorbait pas moins tous les jours de deux grammes de l'une et de l'autre poudre tonique ; il observait le régime animal, buvait du vin vieux, faisait deux, trois promenades, se rendait au manége où il prenait une leçon de gymnastique.

Pourtant les coliques et la diarrhée revenaient de temps à autre et entretenaient la faiblesse.

Le jeune homme, depuis les premiers jours du traitement, était privé de la société de ses anciens condisciples ; il vivait auprès de plusieurs personnes âgées, s'ennuyait passablement, avait l'imagination constamment tendue sur son estomac. Il importait de changer ses habitudes, de fournir une autre direction à ses idées. Nous proposâmes de le faire placer dans une maison industrielle, pour apprendre librement la fabrication des étoffes de soie, en l'obligeant à aller coucher et prendre ses repas à la maison paternelle. Ce qui fut exécuté sur-le-champ.

Les courses obligées, ayant un but, du logis au

magasin et du magasin au logis, le goût qu'il
manifesta bientôt pour sa nouvelle profession, la
conversation, l'entrain de ses jeunes camarades,
eurent tout le succès que nous avions désiré. Son
appétit plus vif réclamait plus d'aliments ; la
digestion et les coliques n'étaient plus senties ;
son regard s'animait, ses joues moins pâles s'ar-
rondissaient ; il était plus fort, plus dispos à la
marche, et il partageait la gaieté de ses amis.
Cette nouvelle vie lui avait fait oublier ses douleurs d'estomac, de la poitrine, etc.

Sa famille remarquait avec une agréable surprise cette rapide amélioration, et commençait à
ajouter foi aux promesses du médecin. Alors on
supprima les remèdes ; on s'en tint au régime
substantiel, à l'exercice, aux distractions.

Après trois ou quatre mois de cet apprentissage
volontaire, le jeune homme se trouva parfaitement rétabli ; il ne pensa plus à sa maladie ni à
la frayeur qu'elle lui avait inspirée. Franc et naïf
comme un enfant, il nous a bien des fois témoigné
sa vive reconnaissance, ainsi que sa digne mère.

Depuis, il a quitté les étoffes et a voulu se remettre sur les bancs du lycée, pour achever ses
études de grec et de latin. Il a travaillé avec une

ardeur sans égale, une constance peu ordinaire. En très-peu de temps il a réparé le temps perdu, a reçu ses grades, et il étudie aujourd'hui le droit à Paris, continuant à jouir d'une santé florissante.

—

Ici, nous n'avions pas cru devoir rechercher avec soin la cause de la gastralgie ; le mal était si parfaitement caractérisé que la connaissance de cette cause n'aurait pas fourni de nouvelles lumières. Nous pensâmes devoir l'attribuer au chagrin de la mort de son frère, le surprenant au milieu de sa croissance rapide. L'affection morale avait ébranlé le système nerveux, et tous les organes si délicats de l'adolescent avaient été sensibles au contrecoup. L'estomac, comme c'est la coutume, avait reçu les plus fortes atteintes, et les mauvaises digestions achevaient de ruiner la constitution du jeune homme.

Les médicaments et le régime avaient été insuffisants pour rétablir l'équilibre et la santé ; il nous fallut songer encore à changer les habitudes du malade, lui faire respirer un autre air, entendre de nouvelles conversations, donner une toute autre direction à son esprit ; et ce traitement moral ne contribua pas peu à la guérison.

C'est que nous n'avions pas affaire à une simple gastralgie, mais à une lésion profonde des nerfs et de tout l'organisme. Dans ces cas, on doit appeler à son aide tous les moyens que fournit la nature ; et, malgré tous les secours, le médecin s'estime heureux quand il triomphe de la maladie.

TROISIÈME OBSERVATION

« Je viens vous demander conseil pour ma femme, nous dit, en entrant dans notre cabinet, M. P***, de Bully, près l'Arbresle (Rhône). Elle est si faible, si exténuée, qu'elle ne sort plus du lit ou de la chambre ; à peine a-t-elle la force de se traîner quelques pas d'une chaise à l'autre. Aussi, malgré toutes les précautions, elle ne supporterait pas les fatigues du voyage.

« J'espère qu'en vous rendant compte de son état, en vous exposant les symptômes de sa maladie, vous pourrez sinon la guérir, au moins la soulager, car elle souffre beaucoup : le jour, la nuit, le matin, le soir, on l'entend se plaindre, gémir, se lamenter, à cause des douleurs qu'elle endure dans toutes les parties de son corps.

« Elle ne mange plus rien, ou presque rien, et depuis quelque temps ; je ne comprends pas comment elle n'a pas déjà rendu le dernier soupir : peut-on vivre ainsi sans prendre aucun aliment ? Peut-être en rentrant au logis la trouverai-je morte !...

« Elle est pâle, ses lèvres surtout sont exsangues, mais son regard est encore vif, animé par la souffrance.

« Quand elle a avalé quelque chose, l'estomac reste plusieurs heures pour s'en débarrasser : ce sont des malaises, des bâillements, des pesanteurs, des renvois à n'en plus finir.

« Elle se plaint beaucoup de la poitrine, elle y tient souvent la main appuyée. Il lui semble, nous dit-elle, que des chiens lui rongent les chairs et les os de cette partie. Néanmoins, il n'y paraît rien ; la peau n'a pas changé de couleur, et la pression est à peine douloureuse.

« Ma femme est d'une taille avantageuse, assez fortement constituée. Avant cette cruelle maladie, elle jouissait habituellement d'une bonne santé ; elle a quarante-cinq ans, est naturellement vive et sensible, et, malgré la diète prolongée, elle ne paraît pas très-amaigrie. Si elle n'est pas poitrinaire, n'y aurait-il aucun moyen de calmer ses douleurs et de la faire digérer? »

Ainsi nous parlait M. P***, en mars 1849. Ces renseignements n'étaient pas assez précis, assez complets pour nous assurer si madame P*** avait une gastralgie ou un embarras gastrique, ou un squirrhe, cancer de l'estomac; si les tiraillements de la poitrine étaient un symptôme de lésion pulmonaire, ou s'ils dépendaient de l'affection stomacale.

Pour nous éclairer suffisamment et bien asseoir notre diagnostic, nous adressâmes un certain nombre de questions. Les réponses du consultant nous apprirent que la malade ne se plaignait pas de la soif et n'avait pas la bouche mauvaise; sa langue était pâle et humide, les éructations sans odeur, et l'appétit bien conservé : elle aurait mangé avec plaisir, si ce n'avaient été les souffrances de la digestion. Il y avait constipation opiniâtre, mais jamais de dévoiement. En outre, pas de toux, ni d'expectoration muqueuse ou purulente ; et les médecins, au nombre de trois, qui avaient vu et traité la patiente, ne l'avaient pas déclarée atteinte de phthisie ou de catarrhe pulmonaire.

Sa santé avait commencé à s'altérer dans le milieu de l'été précédent. Après la révolution du 24 février, le bruit courait dans la campagne, et particulièrement au village de Bully, que la république allait avoir la guerre avec les nations voisines, et qu'on appellerait sous les drapeaux tous les jeunes gens en âge de porter les armes, sans permettre à aucun de se faire remplacer. Or, madame P*** avait un fils, un fils unique de vingt-un ans, et elle trembla qu'on vînt le lui enlever d'un jour à l'autre. Cette crainte, cette frayeur avait troublé ses digestions.

Avec le temps le mal n'avait fait qu'empirer. On consulta le médecin de la localité : il n'y eut pas de soulagement ; on recourut à un autre praticien qui ne fut pas plus heureux.

Cette femme ne pouvant plus vaquer à ses occupations, faiblissant et souffrant de plus en plus, réclama une consultation. Trois docteurs réunis prescrivirent la diète absolue, des tisanes adoucissantes et l'eau minérale de Saint-Alban (plusieurs verrées par jour). Cette eau, analogue à celle de Vichy, passa difficilement et irrita davantage. La diète exaspéra les douleurs nerveuses, le sommeil fut troublé ou nul, et ses gémissements continuels désolaient toute la famille.

Tel était son état quand son mari vint nous voir.

L'ensemble des renseignements recueillis ne permettait plus de doute. Evidemment madame P*** avait une gastralgie qui avait été occasionnée par une affection morale triste, et le trouble de la faculté digestive éveillait par sympathie des douleurs pectorales.

Dans l'embarras gastrique, il y a mauvais goût à la bouche, langue chargée et absence de l'appétit.

Dans le squirrhe ou l'induration d'une portion de la muqueuse stomacale, on constate le vomissement de la nourriture, et le peu qui arrive dans les intestins y détermine des coliques, puis la diarrhée. D'ailleurs la douleur se concentre à l'épigastre, et il y a un dépérissement rapide.

A l'occasion des deux malades précédents, nous avons fait observer que la phthisie ne marche pas sans la toux, sans l'expectoration et la difficulté de respirer.

La faiblesse, l'épuisement de madame P***, ainsi que ses atroces douleurs, nous faisaient un devoir d'agir immédiatement, et de commencer par les narcotiques.

Nous conseillâmes de renoncer aux tisanes et à l'eau de Saint-Alban, de prendre dans la journée une potion contenant 45 grammes de sirop dia-code, en six fois, à la dose de deux cuillerées à café, et, un quart-d'heure après, d'avaler une cuillerée à café de gelée de coings, ou de sucer un peu de volaille, ou d'essayer d'un potage au gras, à la volonté de la malade, avec la recommanda-tion d'en augmenter la quantité à mesure que l'estomac serait moins irrité et moins faible; d'ap-pliquer au creux de l'épigastre un emplâtre de thériaque saupoudré de 30 centigrammes d'acé-tate de morphine; d'user de lavements d'huile d'amandes douces (60 à 90 grammes), de deux en deux jours.

Après quatre jours, remplacer la potion par un mélange de sirop de morphine et de conserve de roses (parties égales).

La semaine suivante, on nous informa que les médicaments avaient été bien digérés; le peu d'a-liments prescrits fatiguaient moins que les pre-miers jours; madame P*** était beaucoup moins impatiente et moins tourmentée, et elle avait quelques heures d'un sommeil paisible.

Même opiat, renoncer à l'emplâtre, continuer

les lavements, augmenter la quantité de nourriture, éviter de se tenir au lit pendant le jour.

Troisième semaine. Plus de calme, mais toujours grande faiblesse. Néanmoins la malade commence à croire qu'on peut la guérir, et cette espérance lui donne du courage.

Electuaire avec conserve de roses, 2 grammes sous-carbonate de fer, sirop d'écorces d'oranges, pour huit jours.

Sucer viande de bœuf et de mouton en évitant la graisse, lait de poule, gelée de coings, vin de Bordeaux étendu, sucré, un peu d'exercice, se distraire et s'égayer.

Quatrième semaine. L'électuaire a bien passé, la malade est moins pâle; elle mange davantage, parce qu'elle craint beaucoup moins d'éveiller les douleurs.

On double la dose de la poudre ferrugineuse, et on prendra trois fois le jour une cuillerée à bouche d'un mélange de sirop d'écorces d'oranges, et de menthe poivrée.

Même régime, distractions.

Après un mois, madame P*** vient nous visiter dans notre cabinet. Le voyage l'a bien moins fatiguée qu'elle ne craignait. Nous constatons une chlorose, toutes les muqueuses très-pâles ; la langue est large et humide, absence de soif, selles moins difficiles, palpitations de cœur, battements des artères au cou et à l'épigastre ; encore grande faiblesse ; l'appétit se réveille, le sommeil est plus tranquille, et les douleurs de poitrine se font encore vivement sentir ; mais, comme la susceptibilité de l'estomac a beaucoup diminué, nous ne craignons plus d'ordonner les toniques à forte dose.

Chocolat martial (de dix à quinze grosses pastilles), électuaire avec 8 grammes de sous-carbonate de fer et 3 grammes d'écorce du Pérou en poudre.

Régime de viandes blanches rôties, d'œufs à la coque bien clairs, de potages variés au bouillon gras, fruits cuits sucrés, compotes *idem*, vin vieux de Bordeaux étendu. Exercice suivant les forces, quelquefois en voiture, mais toujours en compagnie.

Cinquième semaine. Le mieux est remarquable ; les forces ont doublé, les souffrances de l'estomac et de la poitrine sont presque nulles ; tous les remèdes se digèrent aisément, et le teint s'est éclairci et un peu coloré. La malade convient de l'amélioration, et sourit à ceux qui l'en félicitent.

L'électuaire est remplacé par du sirop de quinquina et d'écorces d'oranges ; on continue le chocolat martial.

Après deux mois, elle va visiter ses parents auprès de la ville de Villefranche-sur-Saône.

A son retour, nous remarquons avec plaisir que ce voyage a été très-favorable au physique et au moral. Madame P*** n'a point cessé l'usage des remèdes, et bientôt nous pouvons constater la guérison de la gastralgie, des *pâles couleurs,* le retour des forces et de la santé.

Peu après, nous apprenons que les parents et amis de la famille P*** se disposent à fêter le rétablissement de madame, et à célébrer tout à la fois les noces de son fils, cause innocente de toutes les souffrances de sa mère.

———

Le chagrin, la frayeur déterminent tous les jours des accidents nerveux chez les personnes délicates : ils avaient fait naître la gastralgie de cette dame. Si, dès le début, on l'avait combattue par un traitement rationnel, en calmant le moral et l'éréthisme nerveux, nul doute que tout serait bien vite rentré dans l'ordre, et que cette maladie n'aurait été qu'une indisposition. Mais la diète, la diète prolongée avait exaspéré les douleurs en augmentant la faiblesse.

Dans les affections nerveuses de l'estomac, la diète est un remède pire que le mal : elle est toujours funeste, et, dans notre pratique, nous avons fait l'observation que les gastralgiques, en proie aux plus vives souffrances, avaient été tenus plus ou moins longtemps à la diète. Dans le cas qui nous occupe, nous voyons trois docteurs réunis défendre toutes sortes d'aliments de peur d'augmenter l'*irritation*, et, d'un autre côté, ils prescrivent plusieurs verrées d'eau minérale de Saint-Alban, eau excitante, bien moins propre à calmer qu'à stimuler les nerfs gastriques.

La faim aiguillonne les nerfs de l'estomac : si, tout en se privant d'aliments, un homme bien portant se gorgeait d'une eau minérale, et, en particulier, d'eau de Saint-Alban, nous sommes bien tenté de croire qu'il accroîtrait le spasme de l'organe, et aurait ensuite des digestions laborieuses.

L'illustre Bordeu, ayant inspecté longtemps les eaux de l'Aquitaine, avait reconnu que la plupart des maladies chroniques ont leur source dans *les domaines* de l'estomac. Donc, pour les bien traiter, il importe de savoir apprécier l'état du viscère digestif, et de lui adresser les remèdes convenables.

Où seraient, en effet et depuis longtemps, les trois personnes dont nous venons de citer l'observation, si nous avions commis l'erreur des médecins qui nous avaient précédés?

C'est à la précision du diagnostic et au traitement rationnel qui l'a suivi, qu'elles ont dû de voir enrayer leur maladie, et disparaître insensiblement tous les symptômes et toutes leurs douleurs.

La gastralgie est rarement une affection simple : l'estomac compromis réagit d'ordinaire sur les viscères principaux de l'économie, et quelquefois la lésion sympathique semble beaucoup plus grave que la lésion primitive, source des autres maux.

Nous avions cru quelque temps, avec beaucoup d'autres, qu'il n'est point possible de traiter consciencieusement, en connaissance de cause, les malades éloignés, qu'on n'a pas vus, examinés au moins une fois; mais l'expérience est venue nous prouver notre erreur, du moins pour les affections chroniques, pour la gastralgie en particulier.

En effet, ce n'est ni le pouls, ni la couleur de la face, ni le contact de la peau qui la font reconnaître, mais seulement la langue et les renseignements de la personne qui en souffre.

Or, il n'est pas plus difficile de dire par écrit que verbalement qu'on a les digestions longues et pénibles, qu'on éprouve à l'épigastre un resserrement, une pesanteur, un malaise quelconque après le repas, et pour la langue si elle est large, humide, pâle ou rose, ou si, au contraire, elle se trouve chargée, sèche et mince.

Ce sont là les principaux phénomènes morbides de l'affection nerveuse de l'estomac, dont la connaissance est indispensable. Puis, rien n'empêche le médecin de poser des questions, d'inviter le malade à déclarer s'il y a absence de soif, continuation de l'appétit, renvois, sécrétion abondante de glaires, s'il vomit les aliments, si les selles sont rares, etc., etc.

Dans une maladie qui date de quelques mois, de plusieurs années, huit jours plus tôt ou plus tard importent peu. D'ailleurs, avant d'aborder les médicaments, il est bon de commencer par les soins hygiéniques, toutes les fois que le mal n'est pas assez violent pour menacer la vie.

GASTRALGIE ET CÉPHALALGIE

(Douleur nerveuse de l'estomac et de la tête)

La plupart de ceux dont la digestion est laborieuse, éprouvent, après le repas, un embarras du cerveau, un état de torpeur qui leur fait dire qu'ils n'ont pas une idée. Malheur aux hommes de lettres dont l'estomac est très-paresseux ! Tant qu'ils le sentent *barbouillé*, leur imagination est impuissante à rien créer, rien enfanter sans une peine infinie; l'étude et la composition leur deviennent à charge, le sujet le plus fécond les laisse froids et apathiques; en un mot, ils ont l'esprit *bouché*, tandis qu'à jeun les idées accourent en foule, se précipitent au bout de leur plume, qui ne court pas assez vite pour les exprimer.

C'est pendant l'acte de la digestion que se réveillent les névralgies dentaire, temporale et autres, ou au moins qu'elles éclatent avec plus d'intensité.

Nous avons donné des soins à un homme d'une trentaine d'années, qui avait une dent cariée depuis quelque temps. Il y avait une semaine que, tous les soirs, presque en se levant de table, il sentait s'allumer du feu dans cette dent maudite; c'était une douleur atroce, qui envahissait la moitié du crâne, et ne permettait pas de rester en place. Il fallait marcher, courir, en poussant des gémissements, jusqu'à ce que des renvois, provoqués par une tasse de thé ou d'infusion de menthe, eussent débarrassé l'estomac, et soudain s'évanouissait la névralgie.

Il n'est pas rare d'entendre des gastralgiques accuser de véritables maux de tête, qui les fatiguent toujours pendant le travail de la digestion. Quelques-uns, en petit nombre, deviennent sujets aux vertiges; habituellement il leur semble que, devant leurs pas, la terre est mobile, et ils ont besoin de sentir près d'eux quelqu'un des leurs sur qui s'appuyer dans leur marche, aussitôt qu'ils craignent un étourdissement.

OBSERVATION

Au mois de mai 1849, madame C***, de Lyon, âgée de trente-six ans, d'un tempérament lymphatique nerveux, un peu amaigrie et assez pâle, vint

réclamer nos conseils pour de mauvaises digestions, datant de plusieurs années.

Outre les pesanteurs d'estomac, elle se plaignait
d'un affaiblissement du cerveau, avec tournoie-
ments de tête : il lui semblait que le sol tremblait,
vacillait devant elle.

Sous cette influence, étant un jour assise devant son bureau, elle eut un évanouissement, et
glissa sur le parquet. Elle n'osait se hasarder à
sortir seule, de peur de tomber dans la rue.

On lui avait appliqué un cautère à la cuisse,
parce qu'on redoutait une *attaque d'apoplexie.*
Elle aurait été bien aise de laisser fermer cet exu-
toire, car il était un foyer de douleur; mais on lui
avait assuré qu'il serait dangereux de le suppri-
mer.

Pour l'estomac, son médecin l'avait traitée
comme affectée de gastrite, par les tisanes adoucissantes, des potions qu'il disait calmantes, et le
régime maigre. Ne trouvant pas de soulagement,
la malade avait eu recours à l'homéopathie, avait
avalé religieusement toutes les *prises* ordonnées,
mais elle avouait n'avoir pu se résoudre d'user de
bifteck, de côtelettes, et d'autres aliments aussi
toniques, prescrits d'ordinaire par les disciples

d'Hannemann : la recommandation du premier docteur de se nourrir exclusivement de viandes blanches, de légumes, et de potages au lait ou au beurre, lui faisait craindre d'*irriter* encore l'estomac, et de rendre le mal incurable, en s'écartant de ce régime.

Toutefois, comme elle savait que nous nous occupons spécialement des mauvaises digestions, elle paraissait bien décidée à suivre en tous points nos ordonnances.

Nous remarquâmes une langue épanouie, aussi blanche que si elle fût restée trempée dans du lait; il y avait aversion pour les liquides, excellent appétit, mais avec la peur des douleurs qui suivent un bon repas, médiocre sensibilité à l'épigastre, selles difficiles.

Les malaises de la tête ne s'accompagnaient pas d'hypocondrie; la malade ne manifestait pas ces craintes chimériques des gens portés à s'exagérer leurs maux. Elle se serait résignée à vivre avec ses digestions laborieuses, quoique ce soit bien ennuyeux d'avoir tous les jours à se surveiller pour la nourriture; mais les accidents du cerveau la tenaient dans une inquiétude dont elle ne pouvait se défendre. Nous conseillâmes une potion

opiacée et excitante aromatique ; de deux en deux
jours , quelques onces d'huile d'amandes douces
en lavement ; avant chaque repas, une demi-heure
de promenade, et un régime analeptique, de plus
en plus substantiel. Huit jours après, nous fîmes
prendre les toniques purs, à faible dose d'abord,
qu'on devait augmenter tous les jours, prolonger
la durée des promenades, un peu plus d'aliments.

Après un mois, la malade était délivrée de ses
vertiges, et ne craignait plus de marcher seule
au milieu des rues; et, en deux mois de traitement, elle avait recouvré ses forces; son teint avait
les couleurs de la santé. Alors elle renonça aux
remèdes, quoique l'estomac laissât encore à désirer; mais la malade avait conçu la fantaisie
d'aller passer plusieurs semaines à certaines eaux
minérales, situées à l'étranger, où devaient se rendre deux personnages plus ou moins distingués
de sa connaissance, en grande faveur sous le gouvernement de Juillet, et à qui la République avait
fait des loisirs et *irrité la bile*.

———

Cet exemple est une preuve sans réplique de la
réaction de l'estomac sur le cerveau; il démontre
de quelle importance il est de bien connaître les

sympathies du ventricule avec les autres organes
de l'économie : car, ici, on aurait vainement ba-
taillé contre un symptôme, si on avait cru le mal
essentiellement fixé dans la tête, si on avait cherché à le combattre par les révulsifs, les dérivatifs
et autres moyens analogues. Déjà nous avons
signalé trois cas d'erreur en ce genre, en citant
l'observation de trois jeunes hommes qui en
avaient été les tristes victimes.

Chez deux de ces derniers malades, un étourdissement avait été traité comme une attaque d'a-
poplexie, au grand détriment du cerveau; et nous
avons vu madame C*** porter un cautère, afin de
prévenir, croyait-on, une attaque semblable. Mais,
comme c'est l'ordinaire, l'irritation de la peau augmentait l'irritation gastrique; toutes les nuits, durant son sommeil, la patiente arrachait l'appareil,
et le matin, au réveil, elle sentait la plaie à nu.
Nous nous hâtâmes de la laisser cicatriser, afin
d'éteindre ce foyer de douleurs; et, au lieu de voir
éclater des accidents, le cerveau, ayant part au
soulagement de l'estomac, commença à être moins
faible et plus solide; et, plus tard, la malade ne
s'expliquait pas comment elle avait pu guérir de ses
vertiges, n'ayant pris que des remèdes qui lui

semblaient plutôt des aliments que des médicaments.

AFFECTION NERVEUSE DE L'ESTOMAC ET DU FOIE

Nous avons tous un organe relativement plus faible, disposé de préférence à devenir le siége de la maladie, toutes les fois, par exemple, que nous nous exposons à quelque refroidissement : aux uns c'est l'estomac, à d'autres les poumons, à ceux-ci le cœur, et le foie à ceux-là.

Le foie est regardé généralement comme le centre des affections morales tristes, non pas, qu'à l'instar du cerveau, il acquière dans ces cas la faculté de percevoir, de juger, de comparer, etc.; mais parce que la commotion qui se fait sentir d'habitude aux nerfs de l'épigastre, retentit chez quelques-uns dans les nerfs du foie avec bien plus d'intensité.

Nous avons tous eu l'occasion de voir un certain nombre de malades chez qui le trouble des fonctions du foie s'accompagnait du trouble des fonctions gastriques, et réciproquement ; en même temps qu'ils accusaient de mauvaises digestions, ils se plaignaient d'une douleur au côté droit avec ou sans jaunisse.

En général, on commet une erreur funeste, si on envisage l'affection nerveuse du foie comme isolée, indépendante de l'état nerveux de l'estomac.

Quand le foie est lésé, la douleur se fait sentir encore sympathiquement dans l'épaule du côté correspondant.

La plupart des hypocondriaques et des infortunés qui meurent de chagrin ont le foie engorgé. Chez un petit nombre de ces derniers, il est, au contraire, desséché, racorni.

OBSERVATION

Dans les derniers mois de 1844, madame J***, âgée de ving-neuf ans, de Vérin, près la ville de Condrieu (Rhône), vint nous consulter pour des douleurs atroces qui la prenaient de temps à autre dans le côté droit. C'était toujours pendant une mauvaise digestion : la crise éclatait dans le foie si violente, que la patiente se roulait sur son lit pendant deux heures, trois heures, jusqu'à ce que l'estomac eût rejeté tous les aliments. Alors, exténuée, abattue, elle se trouvait soulagée; mais ve-

naît ensuite la jaunisse, qui disparaissait spontanément après trois ou quatre jours.

Divers traitements avaient été suivis; aucun
n'avait réussi à arrêter le mal, à en prévenir le
retour. Depuis quelques mois, on se bornait à mander le docteur au moment de l'accès; il donnait
une potion qui n'avait pas d'effet sensible.

Il y avait plusieurs années que les fonctions
gastriques s'opéraient laborieusement; et, chose
remarquable, la mère de cette femme avait enduré les mêmes douleurs du foie jusqu'à l'âge de
quarante-cinq ans; mais elle était beaucoup plus
robuste. Cette circonstance effrayait sa fille, en
lui faisant craindre d'être condamnée à souffrir
ainsi jusqu'à l'âge *de retour*.

Elle était bien amaigrie, avait le teint blême et
triste. Sa langue large, humide et blanche, démontrait l'affection nerveuse de l'estomac.

Les autres symptômes de la gastralgie étaient
manifestes; absence de soif, conservation de l'appétit, abondance de glaires dans la bouche, constipation, battements à l'épigastre, morosité, dégoût
de la vie, tendance aux larmes.

Elle fut traitée par des remèdes analogues à ceux
de la malade précédente, c'est-à-dire qu'on eut

fort peu d'égards pour les accidents du foie, assuré qu'on était à l'avance qu'il devait suffire de calmer les nerfs de l'épigastre, puis de les tonifier, pour calmer et tonifier les nerfs du foie et de tout l'organisme.

L'événement vint justifier notre pronostic et notre manière de juger la maladie. Nous avons observé que si le malaise, la douleur se porte au cerveau, il est besoin d'administrer une forte dose de toniques, et pendant un temps assez long; et ici le mal n'était pas moins invétéré. Mais, après deux mois et demi, trois mois, ils métamorphosèrent, pour ainsi dire, cette femme. Les digestions se rétablirent, les douleurs disparurent; elle prit le teint clair, naturel, et la tristesse fit place à la gaieté qui était le fond de son caractère.

Elle vint nous remercier du service qui lui avait été rendu, se disant trop heureuse d'avoir trouvé le moyen de se délivrer d'une maladie qui lui causait tant de souffrance et de chagrin.

La reconnaissance n'a pas été de quelques jours. Elle a eu l'attention de nous visiter de temps en temps jusqu'en l'année 1852, où nous avons quitté Lyon.

En présence de ces coliques hépatiques, fal-

lait-il croire à l'existence d'un calcul dans la vésicule du fiel, et rester les bras croisés devant un
mal au-dessus des remèdes de la pharmacie?

Devions-nous condamner la malade à son triste
sort, l'engager à la patience depuis le mois de novembre, où nous nous trouvions, jusqu'au mois
de juin, où s'ouvre la saison des eaux, pour l'envoyer alors à Vichy, qui probablement n'a jamais
fondu un seul calcul bien formé? Et, si son estomac, devenu très-irritable par les *crises* multipliées, n'avait pu supporter les eaux actives de ces
sources, elle se serait vu obligée à renoncer à ce
remède extrême, et à périr misérablement.

Plusieurs exemples analogues nous ont prouvé
que les désordres fonctionnels d'un viscère revê-
tent quelquefois les symptômes rationnels d'un
état organique, incurable. Dans le doute, le médecin doit traiter le mal comme étant accessible
aux remèdes; et plusieurs fois, dans des cas sem-
blables, nous avons eu la satisfaction de guérir
contre l'espérance même.

Depuis l'époque de son traitement, madame
J*** étant devenue enceinte a accouché d'un enfant
bien portant qu'elle a voulu nourrir. Mais, après six
mois de lactation, ses digestions se trouvant lentes

et pénibles, alors elle s'est décidée à mettre l'enfant en nourrice.

On voit l'allaitement épuiser des mères qui n'ont jamais essuyé de maladies : il n'est pas étonnant que cette fonction soit préjudiciable aux femmes dont la constitution a été longtemps ébranlée et gravement affaiblie par de violentes douleurs.

Les *crises* du foie ne sont point chose commune. Nous nous rappelons encore avoir donné des soins à un monsieur de soixante-cinq ans, qui, après un refroidissement, une émotion, avait été pris de vives douleurs à l'épigastre : c'était une gastralgie aiguë qui se calmait au moment où survenait la jaunisse, laquelle se dissipait à son tour en quelques jours, sans recourir aux médicaments.

Ce qui n'est pas rare, c'est de rencontrer des gastralgiques chez qui les fonctions du foie sont plus ou moins troublées. La bile, sécrétée par ce viscère, s'y trouve retenue en partie par un état spasmodique de l'organe; et, au lieu de couler librement dans la vésicule et l'intestin, elle rentre dans le torrent circulatoire. Ce n'est point une jaunisse complète; mais la face prend cette teinte ictérique plus ou moins prononcée.

Il y a dans le monde une opinion erronée que

les maladies du foie sont très-dangereuses. Si vous avez l'imprudence de révéler à tel ou tel que son foie est malade, l'infortuné s'épouvante soudain, et cette frayeur ne peut qu'aggraver le mal et nuire à l'action du remède.

OBSERVATION

En 1847, nous reçûmes dans notre cabinet madame D***, de Condrieu (Rhône), femme de trente à trente-deux ans, amaigrie, grande et mince, qui avait le visage quelque peu jaunâtre. Elle nous demanda avec anxiété si nous la croyions atteinte d'une lésion du foie. Ses digestions étaient longues et parfois douloureuses ; elle mangeait peu, afin de moins souffrir, et avait de ces douleurs erratiques se promenant d'un membre à l'autre, tantôt à la tête, tantôt à la poitrine ou ailleurs.

Un de ses parents, médecin aux environs de Condrieu, lui avait assuré que c'était là une affection du foie, et qu'il n'y avait pas d'autre remède que les eaux de Vichy.

Nous lui répondîmes que chez elle le mal siégeait dans l'appareil nerveux de l'épigastre, et, comme les nerfs animent nos organes, tous ces organes se trouvaient plus ou moins compromis, particulièrement l'estomac et le foie : ce qui ne l'empêcherait pas de guérir en quelques semaines, sans avoir besoin de recourir aux eaux de Vichy.

Madame D*** avait vu plusieurs personnes de sa localité qui avaient suivi nos conseils : elle eut confiance en nos paroles, et, après deux mois de traitement, la face avait repris sa couleur naturelle, les digestions étaient rétablies, les douleurs des membres avaient disparu, et surtout notre malade, parfaitement rassurée, n'eût plus peur d'avoir le sort d'un de ses oncles, qui avait succombé peu d'années avant à un engorgement chronique du foie, avec altération de sa substance.

AFFECTION NERVEUSE DE L'ESTOMAC ET DU CŒUR

Les jeunes filles qui ont les pâles couleurs sont affectées de palpitations plus ou moins violentes, plus ou moins irrégulières, et pénibles surtout quand elles montent un escalier, ou éprouvent quelque émotion.

Si on ausculte la région du cœur et le long des artères du cou, on entend une espèce de ronflement, une vibration particulière.

Ces accidents sont dus à l'appauvrissement du sang, qui ne stimule plus assez le cœur et les gros vaisseaux.

Mais telle n'est pas la cause des palpitations dont se plaignent certains gastralgiques : ici le spasme de l'estomac entraîne le spasme des nerfs du cœur.

Nous avons cité l'observation de M. F***, de Lyon, rue Désirée, lequel, malgré ses cinquante-cinq ans et sa complexion robuste, avait souvent des palpitations qui l'effrayaient, en lui faisant craindre un anévrisme. Elles disparurent spontanément après la guérison des douleurs de l'épigastre.

Dans l'hiver de 1848, cet ancien malade nous adressa mademoiselle C***, âgée de trente-cinq ans, demeurant aux Brotteaux-ès-Lyon (Rhône). Depuis nombre d'années cette femme souffrait de l'estomac après les repas ; de fortes palpitations ébranlaient sa poitrine, l'obligeaient de marcher lentement, et de s'arrêter en parlant pour reprendre haleine de peur d'être suffoquée. Elle était d'autant plus inquiète sur son état, qu'un docteur expérimenté qui avait toute sa confiance, l'avait soignée pendant deux ans, sans pouvoir parvenir à la soulager.

Mademoiselle C*** présentait les symptômes de la gastralgie avec une débilité générale. Elle suivit nos conseils environ deux mois : alors, ayant détruit l'affection nerveuse épigastrique, nous eûmes la satisfaction de voir se dissiper tous les désordres du centre circulatoire. Digérant bien, elle retrouva son ancienne vigueur, la respiration normale et le timbre de sa voix naturelle. Délivrée de ses maux, elle chanta à son tour les louanges du médecin qui lui avait rendu la santé ; et bientôt, nous reçûmes dans notre cabinet son beau-frère et une de ses amies.

AFFECTION NERVEUSE DE L'ESTOMAC
ET DES INTESTINS

Le canal alimentaire commence à la bouche, descend dans l'abdomen où il s'évase pour for-

mer le renflement, la concavité de l'estomac, puis
se rétrécit, se déroule en longues circonvolutions
qui sont les *intestins grêles;* ensuite s'élargit de
nouveau et se continue sous le nom de gros intestin, qui commence dans la fosse iliaque droite,
remonte jusqu'au foie, passe horizontalement de
droite à gauche de l'abdomen, descend le côté
gauche jusque dans le bassin, où il prend le
nom de *rectum.* C'est donc un long tube de dimen-
sion variable, qui ne fait qu'une seule et unique
pièce. Cette continuité de tissu explique pourquoi
la lésion d'une partie entraîne la lésion d'une
autre partie; pourquoi les deux extrémités ex-
priment, pour ainsi dire, l'état de son intérieur.

La gastrite, qui est l'inflammation de l'estomac,
produit l'*entérite,* inflammation des intestins, et
se manifeste à la bouche par la soif, une langue
sèche et animée. Dans la langueur des digestions,
les intestins deviennent paresseux : aussi, la plupart des gastralgiques se plaignent de constipation.

Dans l'affection qui nous occupe, le travail digestif peut être indolent, et la souffrance se faire
sentir dans les entrailles : c'était le cas de ce
M. W*** dont nous avons parlé plus haut. Les

vives douleurs du malade avaient trompé un docteur du Mâconnais, qui crut à l'existence d'ulcères intestinaux ; et cette erreur de diagnostic fut
mise en évidence par les remèdes qui guérirent.
Nous fîmes prendre du vin de Bordeaux, du fer,
du quinquina, tous moyens faits pour aigrir une
plaie déjà irritée, et non pour la cicatriser.

Les coliques de nature nerveuse peuvent co-
exister avec la constipation ou s'accompagner de
dévoiement.

OBSERVATION

Un homme de soixante-trois ans, naturellement maigre et sujet aux névralgies, était fatigué
par des digestions pénibles, suivies de la diarrhée
depuis six semaines. Déjà faible auparavant, il se
sentait dépérir par ces fréquentes et abondantes
évacuations.

Il n'avait pas de fièvre, pas de soif, la langue
n'était point sèche, rouge, mais au contraire
large, humide et blanchâtre : c'était une gastro-
entéralgie.

Nous administrâmes le diascordium, matin et
soir, et, dans la journée, la conserve de roses mê-
lée au sirop de morphine.

Après quatre jours, à la seconde visite, le malade nous informa que les selles diarrhéiques étaient supprimées.

On continua quatre jours encore l'usage des mêmes moyens. Alors l'épigastre et l'abdomen étant moins sensibles à la pression, nous retranchâmes le diascordium, et à l'opiat nous ajoutâmes quelques grains de sous-carbonate de fer.

Quatrième visite. L'opiat n'ayant pas été senti, nous en augmentâmes la dose, ainsi que celle des aliments, ayant soin d'interdire les légumes acides ou venteux, les graisses, les crudités et le laitage.

Après dix-huit ou vingt jours, M. O***, délivré de son dévoiement, digérant bien, se crut assez fort pour entreprendre un voyage de long cours.

Si nous avions regardé ce flux de ventre comme un symptôme de colite, d'entérite, en cherchant à le combattre par l'eau de riz gommée, les cataplasmes de farine de lin, les lavements émollients d'abord, puis laudanisés, nous aurions vu assurément aggraver le mal, croître la faiblesse et l'épuisement; et, dès que les intestins auraient cessé d'être sous l'influence de l'opium, la diarrhée n'aurait pas tardé de reparaître et aurait conduit

le malade au tombeau : car cette maladie est rapidement funeste aux vieillards, surtout quand ils
ont été affaiblis par des affections morales tristes.

OBSERVATION

En 1850, nous fûmes appelé en hâte auprès
d'un boulanger, homme de trente-deux ans
(M. V***, rue Confort, à Lyon), lequel était alité,
depuis une semaine, avec une cholérine intense.
Le médecin qui le soignait, depuis le deuxième
jour, le tenait à la diète, aux boissons adoucissantes avec sirop de morphine, aux quarts de lavements laudanisés, aux cataplasmes émollients
arrosés de la même liqueur; et le dévoiement ré-
sistait à la diète et à l'opium administré par toutes
les voies.

Le patient était abattu, sans appétit, dans une
demi-somnolence, la physionomie sans expression,
les yeux entourés d'un cercle livide : il semblait
près d'expirer. Ayant constaté l'absence de soif et
de fièvre, une langue blanche et humide, ayant
entendu accuser un poids sur la poitrine, des envies de vomir, et un délabrement général, nous
vîmes qu'il fallait s'empresser d'alimenter le flambeau de la vie qui allait s'éteindre. Nous ordon-

nâmes d'emblée un opiat avec un extrait de quina, 2 gr. dans la conserve de roses, 60 gr., et 40 gr. de sirop d'écorces d'oranges; abstention des tisanes, des cataplasmes et des clystères ; sucer quelques tranches d'orange, boire du bouillon de bœuf.

Après douze heures, les selles diarrhéiques s'arrêtèrent, et, après trois jours, M. V*** paraissait ressuscité. Il se tenait tranquillement sur son séant, n'ayant plus les yeux mâchés, mais grands ouverts, témoignait de sa faim, et demandait des aliments; on lui permettait les potages et le suc des viandes.

Alors l'opiat étant fini, il crut pouvoir en cesser l'usage; mais dans la soirée du même jour, les coliques reparurent, et se firent encore sentir pendant la nuit.

Le lendemain au matin, il fit préparer un second opiat, qui opéra de suite avec le même succès, et il le continua encore une semaine. Alors ne sentant plus de douleurs intestinales, prenant une quantité raisonnable d'aliments, digérant sans peine, il alla visiter son pays, à quelques lieues de la ville.

En interrogeant madame V*** sur les dispositions morales où était son mari avant de s'aliter, elle nous apprit qu'il avait du chagrin de voir ses affaires en très-mauvais état : il devint évident pour nous que le dévoiement avait éclaté sous l'influence de cette passion dépressive, qui, en ôtant aux organes leur force de résistance, augmente ainsi la gravité de la maladie.

Cette circonstance nous avait confirmé encore dans notre opinion que l'opium devait rester inefficace, puisqu'on n'avait pas à combattre une vive irritabilité de la muqueuse intestinale, mais un collapsus, un brisement des forces. Or, l'opium, en stupéfiant, ne rend pas leur ton aux organes affaiblis.

S'il y a pour le médecin d'ineffables jouissances, assurément, c'est quand, appelé tard au chevet d'un malade, au milieu d'une famille éplorée, il peut trouver encore des remèdes assez puissants pour conjurer le mal, et rendre à la santé celui qui a déjà dit aux siens un éternel adieu.

Et, plus tard, en rencontrant dans le monde cette personne qui a été, pour ainsi dire, rappelée à la vie, il ne peut s'empêcher de se réjouir en lui-même d'y avoir contribué pour une grande part; car, si c'est Dieu qui donne la vertu aux re-

mèdes, c'est le médecin qui a le mérite de les administrer.

OBSERVATION

Dans l'année 1847, M. et Mme R***, du faubourg
Saint-Clair-ès-Lyon, vinrent nous rendre visite à
l'heure de notre cabinet. Le mari paraissait avoir
passé la cinquantaine; il avait le corps sec, et le
teint blême des gens qui travaillent devant le feu,
comme les boulangers, les cuisiniers; mais lui
se portait assez bien, et ne voulait pas consulter. Il accompagnait sa femme, d'une bonne corpulence, arrivée à l'âge critique, et qui, sans être
pâle, assurait avoir perdu beaucoup de sa fraîcheur. Son regard était bien triste : on voyait que
ses yeux avaient l'habitude des larmes.

Depuis un an, elle éprouvait, après les repas,
des pesanteurs incommodes, un gonflement, ou
un état de constriction avec éructations fréquentes
et inodores, et, peu après, des coliques suivies
d'une selle diarrhéique plus ou moins abondante;
elle allait ainsi deux ou trois fois le jour à la
garderobe. Aussi, se disait-elle bien faible et
énervée. « Je vois bien, ajoutait-elle, que ma santé
est ruinée; mais, que m'importe, je voudrais
mourir ! » Et elle se mit à pleurer.

Après un instant : « C'est le chagrin qui m'a occasionné cette maladie, ce désordre des digestions, et le trouble des digestions entretient la mélancolie. Nous avons eu des malheurs, de grandes pertes ; mon mari est trop bon, il a consenti à placer nos économies, tout notre avoir, entre les mains d'un jeune commerçant, qu'il protégeait et qu'il croyait honnête homme. Celui-ci vantait ses gros bénéfices, nous entretenait de l'obligation où il était d'agrandir le cercle de ses affaires, etc.; puis, au moment de nous montrer son inventaire, il s'est trouvé que tout a été perdu ou dissipé. Cette catastrophe nous a jetés dans une ruine complète. M. N***, dans son ardeur d'obliger, lui avait confié tout son argent disponible, et encore engagé sa signature. Heureusement que les fournisseurs, qui nous vendent les matières premières, bien convaincus de notre probité et instruits de la cause de nos revers, ont consenti, contre leur habitude, à nous livrer leurs marchandises à crédit, et nous laissent même toute latitude pour l'époque du paiement; autrement, nous allions nous voir obligés de vendre à vil prix notre fonds, à défaut d'argent et de confiance. »

Après ce récit, quel était le devoir du médecin?

Sans aucun doute, consoler la pauvre malade, et
surtout s'appliquer à lui faire comprendre le besoin qu'elle avait d'une bonne santé.

Les médicaments pouvaient être insuffisants,
sans le traitement moral : il était, avant tout, nécessaire de gagner sa confiance, et de lui témoigner de la commisération. Puis elle parut nous
écouter, quand nous prîmes la liberté de lui observer, avec douceur, qu'il ne fallait pas être in-
sensible aux attentions que lui prodiguait sa fille
pour l'arracher à ses idées noires, encore moins
désoler son mari par ses larmes et ses gémissements. Elle devait partager sa résignation, et s'ef-
forcer de le seconder : avec de la santé, du travail, et une bonne réputation, on peut encore
vivre honorablement.

Nous avions touché la corde sensible. La malade reprit : « Ah ! monsieur, est-il possible de
supporter, sans douleur, de se voir dépouiller par
un individu à qui on s'efforçait de rendre service,
de perdre, en un instant, tout le fruit de ses
peines, l'aisance gagnée par vingt-cinq ans d'une
vie laborieuse ? Nous allions nous retirer, établir
notre enfant en lui procurant une position honnête ; et, aujourd'hui, plus de dot à lui don-

ner; et nous, obligés de recommencer à nouveau,
et avec des dettes. C'est un chagrin que le temps
ne guérit pas !... »

Malgré ce désespoir apparent, les infortunés ne
sont pas sourds aux paroles bienveillantes, aux
encouragements de ceux qui leur veulent du bien :
tôt ou tard le baume apaise la douleur de la blessure.

La malade prit du diascordium, de la conserve
de roses et du sirop de morphine; elle s'abstint de
laitage, d'acides, de légumes venteux, etc.

Après huit jours, à la deuxième visite, les malaises d'estomac étaient bien diminués, les coliques et le dévoiement ne revenaient pas. Mais la
tristesse n'avait pas disparu.

A la troisième visite, le mieux continuant, on
supprima le diascordium, on remplaça le sirop de
morphine par du sirop d'écorce d'oranges, et on
ajouta à l'opiat un peu de sous-carbonate de fer.

L'appétit se réveilla, l'estomac devint moins
sensible et digéra plus aisément; la malade reprenait des forces et commençait à sourire, à ne
plus raconter à tout venant la cause de ses chagrins.

Bientôt on mêla au fer de la poudre d'écorce

du Pérou : l'une et l'autre furent bien supportées ;
et après cinq ou six semaines, la malade témoigna
le désir de renoncer aux remèdes, espérant que le
régime achèverait de lui rendre sa vigueur et la
fraîcheur de son teint.

Nous traitons la gastro-entéralgie comme une
gastralgie un peu aiguë, avec éréthisme ; mais dès
que nous croyons avoir calmé la vive sensibilité,
nous abordons les toniques, dont on augmente la
dose graduellement. Nous modifions également le
régime, qui est de plus en plus copieux et plus substantiel, à mesure que l'estomac et les intestins acquièrent de nouvelles forces.

C'est ainsi que, sans recourir aux tisanes, aux
lavements, aux cataplasmes, à tous ces moyens
désagréables et assujétissants, par des remèdes
simples, administrés sous forme alimentaire, nous
avons la satisfaction d'endormir la souffrance, et
de rétablir la santé de gens qui languissent depuis
nombre d'années.

L'entéralgie de cette dernière malade était bien
moins grave que la première, et, néanmoins, elle
n'aurait pas eu une issue différente, si on l'eût

abandonnée à elle-même ou traitée par des médicaments mal indiqués.

Les coliques avec diarrhée chronique amaigrissent, énervent, détériorent profondément la constitution. Le patient se traîne, avec la mélancolie peinte sur la figure, en proie au dégoût de la vie, et après un temps plus ou moins long, qui varie avec l'intensité du mal, devenu plus faible et plus souffrant, il s'alite quelques jours, et s'éteint sans agonie comme une lampe qui n'a plus d'huile.

Hâtons-nous d'observer que ces accidents graves ne sont à redouter que pour les individus qui ont un dérangement des fonctions gastriques et intestinales; car, si l'estomac reste parfaitement sain, que le bol alimentaire ingéré soit trituré de manière à extraire tout le suc nutritif que doit recueillir le ventricule, la faiblesse viendra beaucoup plus tard, et l'épuisement ne se manifestera peut-être jamais, puisque la digestion ne perd qu'une partie du chyle qu'aspirent, dans l'état de santé, les bouches absorbantes des intestins.

Nous avons eu l'occasion de traiter plusieurs entéralgiques de cette catégorie : les uns étaient plus ou moins amaigris, d'autres présentaient de l'embonpoint, sans avoir néanmoins toutes leurs forces.

OBSERVATION

Mademoiselle F***, d'un tempérament lymphatique sanguin (employée dans un magasin de soie-
ries, rue des Capucins, à Lyon), était, depuis plusieurs années, sujette à cette incommodité qui
force à quitter brusquement son travail pour courir au cabinet d'aisances. Les selles, assez liquides, ne s'accompagnaient pas de tranchées.

Cette jeune femme était joufflue, avait le teint
frais, et, à la voir, on l'aurait crue d'une santé
florissante. Elle assurait toutefois que le corps
avait perdu de son embonpoint; les formes étaient
moins arrondies.

Elle était condamnée à se nourrir exclusivement
d'aliments solides, substantiels, et à se priver ab-
solument de fruits, cerises, melons, poires, pommes, raisins : tous étaient contraires, aggravaient
l'indisposition. C'était là une privation bien rude
pour elle qui les aimait beaucoup; mais, raisonnable, elle savait s'abstenir, de deux maux choisir le moindre.

Combien elle se serait trouvée heureuse d'être
enfin délivrée de ces malaises! Mais la guérison
lui semblait difficile à obtenir, car elle apparte-

nait à une famille dont tous les membres étaient
plus ou moins valétudinaires. Son père était hypocondriaque; sa sœur, plus jeune, se plaignait
du côté des digestions, etc.

Nous avouons ingénûment qu'il ne nous eût
pas été facile de dire par quel remède on devait
commencer le traitement.

Dans la belle saison, certaines eaux minérales
triomphent de ce genre d'affections.

Ce n'était point une entérite chronique : les entrailles n'étaient point enflammées, et ne l'avaient
jamais été; le mal avait débuté tel qu'il se montrait encore, sous les apparences de la faiblesse;
mais c'était à la fin de l'hiver, en février.

Nous fûmes d'avis d'administrer prudemment
les narcotiques; et, après quinze jours, pas le
moindre changement. Alors nous passâmes aux
toniques, à dose ordinaire; ils irritèrent; les selles
devinrent plus fréquentes et un peu douloureuses.

Nous étions au vingt-cinquième jour, et la malade se décourageait, ayant l'intention de tout abandonner. Nous crûmes ne point devoir renoncer aux
toniques, mais de les faire prendre en quantité
très-minime; d'abord (5 centigrammes d'extrait
de quina dans les vingt-quatre heures). Ils ne fu-

rent pas sentis. Après trois jours, 10 centigrammes : ils furent bien supportés.

Le sixième jour, 15 centigrammes : ils n'irritèrent point; nous ajoutâmes autant de sous-carbonate de fer. Alors, le mieux fut sensible; les selles plus rares et plus liées. On augmenta ainsi graduellement la dose des deux fortifiants; et, après un mois et demi de leur usage ainsi administré, mademoiselle F***, qui avait toujours craint jusque-là une rechute, put compter sur la vertu des remèdes, et se retira pleine de reconnaissance.

Environ une année après, elle nous fit une visite pour accompagner sa sœur.

« Je me suis bien dédommagée, nous dit-elle; j'ai mangé des fruits en abondance toute la saison; ils ne m'ont point dérangée : au contraire, vous voyez comme j'ai engraissé. Je me sens le corps plus dispos, les jambes plus agiles, et surtout bien contente. »

À propos d'eaux minérales, Bordeu a cité plusieurs observations d'entéralgies avec dévoiement complétement guéries par les Eaux-Bonnes, de Saint-Sauveur, et par la source de la Raillère, à

Cauterets. Il observe que ces eaux font passer les maladies de l'état chronique à l'état aigu ; en d'autres termes, qu'elles les exaspèrent d'abord, qu'elles provoquent la fièvre ; mais, si la réaction est trop forte, elle peut entraîner des inconvénients graves.

Leur traitement doit être toujours dirigé par un médecin ; et les malades qui s'abreuvent d'eux-mêmes de ces eaux actives, risquent de trouver là un remède pire que le mal pour lequel ils se l'administrent.

L'exemple précédent démontre qu'il faut quelquefois tâtonner pour découvrir l'agent curatif indiqué dans les affections lentes, qui paraissent ne pas devoir compromettre la vie. En effet, il est d'ordinaire bien plus aisé de traiter et guérir une phlegmasie, une vive irritation, que ces maladies chroniques, dont on ignore souvent la cause et le début, qui ont troublé à la longue les fonctions d'autres organes, et où on ne constate le genre de lésion que par l'effet des remèdes. Mais la plupart des consultants sont d'autant moins patients que leur mal est moins grave, qu'il les incommode moins. Après huit ou quinze jours d'essais, ils vous laissent là pour courir à un autre docteur, qu'ils quitteront de même ; ainsi, d'un troisième.

Et, après cinq ou six traitements avortés et à peine
ébauchés, ils se plaignent que tous les hommes
de l'art n'ont rien connu à leur maladie.

Il est remarquable, d'ailleurs, que le traitement
doit être pour ainsi dire chronique, c'est-à-dire
agir lentement, modifier tous les jours un peu l'é-
tat du viscère affecté, l'amener insensiblement à
rentrer dans les conditions normales. Les eaux minérales qui opèrent ainsi sont préférables à celles
qui servent comme de moyens perturbateurs, parce
qu'elles ne font courir aucun danger.

OBSERVATION

En 1849, M. M***, de Roanne (Loire), âgé de
trente-deux ans, corps fluet, tempérament nerveux,
vint nous consulter pour une diarrhée chronique,
laquelle ne datait pas de moins de neuf ans. Au
sortir du collége, M. M*** s'était destiné à la médecine; mais, après quelques mois, il quitta brusquement le scalpel, et, dans un moment de dépit,
s'enrôla dans un régiment de ligne. Bientôt envoyé
en Algérie, il y contracta une dyssenterie grave, à
laquelle il faillit succomber. Elle s'amenda en quelques jours; mais on ne réussit pas à l'en délivrer
tout à fait : il resta sujet à l'incommodité de deux

ou trois selles diarrhéiques dans les vingt-quatre heures.

Le jeune soldat, une fois sorti de l'hôpital, reprit le régime du quartier. Plus tard, à l'expiration de son temps, il revint dans sa famille. La mort de son père le laissa riche, indépendant; il suivit les conseils de plusieurs docteurs de son pays, vint ensuite à Lyon invoquer les lumières des illustrations de la seconde ville de France, et, avant de visiter les doyens des hôpitaux, il voulut interroger notre spécialité.

D'abord, il nous annonça sa ferme résolution de ne rien négliger pour se débarrasser de cette incommodité qui le laissait faible et valétudinaire, et était devenue une véritable infirmité. Ces sentiments nous firent plaisir, en nous persuadant de la docilité et de la constance du malade. Nous procédâmes à son égard comme pour la jeune femme de l'observation précédente, par les calmants d'abord, pendant quinze à dix-huit jours : ils ne produisirent aucune amélioration. Puis nous abordâmes les toniques, auxquels nous joignîmes bientôt les astringents, en particulier l'extrait de ratanhia; et le mois s'écoula sans changement avantageux.

Nous croyons devoir observer que notre malade n'avait pas été esclave du régime. De tout temps il avait remarqué que les rafraîchissants, et surtout la bière, étaient loin de lui être favorables ; mais vivant seul, sans occupation, il trouvait la journée trop longue pour la passer dans sa chambre et dans les rues. Il fréquentait les cafés, et se laissait gagner sans beaucoup de peine. Il est d'ailleurs si difficile de rompre brusquement avec ses habitudes ! Quoi qu'il en soit, il nous témoignait le désir de s'en tenir là, n'éprouvant aucun soulagement.

Nous lui demandâmes de nous accorder quelques jours encore, parce que nous n'avons pas l'habitude de lâcher prise, quand un mal ordinairement guérissable vient à se montrer rebelle.

Nous eûmes recours au magister de bismuth, à la dose d'une cuillerée à café à chaque repas. Dans la soirée du même jour, l'effet curatif était manifeste ; M. M*** n'alla pas au cabinet de tout le jour ni pendant la nuit suivante ; et le lendemain au matin, il reprenait les habitudes de santé depuis longtemps perdues. On continua une semaine l'usage du remède, et chaque matin régulièrement, il y eut une selle normale, à la grande satisfaction du malade et du médecin.

Le bismuth avait agi sans accident, sans crise, et pour ainsi dire à commandement.

Voilà une efficacité vraiment merveilleuse, un triomphe qu'on ne saurait contester. Si la médecine possédait bon nombre de médicaments aussi héroïques, elle rencontrerait sans contredit fort peu de détracteurs.

Environ, deux mois après, M. M*** vint nous visiter pour nous recommander une malade qu'il nous avait adressée. « J'ai usé et abusé, nous dit-il, de la bière et de bien d'autres choses naguère pernicieuses, mais ces écarts ne m'ont pas donné de regrets ; il n'y a pas eu un seul jour de rechute. Je me félicite tous les jours de ma guérison ; elle est arrivée quand je ne l'attendais plus. Le bismuth m'a transformé en un jour, et depuis j'ai acquis des forces ; ma tête et mes jambes sont bien plus solides ; je puis vivre à présent et jouir de quelques plaisirs sans crainte : car on ne jouit pas quand la peine est là pour vous en faire repentir. »

———

Il y a déjà longtemps qu'on préconisait le

sous-nitrate de bismuth dans les affections nerveuses de l'estomac : nous avons suivi la pratique
d'un médecin expérimenté, dans un grand hôpital, lequel ne prescrivait pas d'autre médicament
à ses gastralgiques. Nous ne dirons pas s'il avait
des succès : dans les hospices, le traitement moral et les soins hygiéniques sont à peu près nuls ;
d'ailleurs, l'ennui et le mauvais air sont particulièrement funestes aux gens qui souffrent des nerfs.

A notre tour, nous nous empressâmes de mettre
ce remède à contribution ; mais nous devons à la
vérité de déclarer qu'il échouait d'ordinaire, et
nous y renonçâmes de bonne heure. Une seule
fois il parut réussir au-delà de toute espérance :
c'était chez une lorette qui attribuait à un chagrin le trouble de ses digestions. Après divers
moyens inutiles, nous conseillâmes le bismuth
comme en désespoir de cause, et après peu de
jours notre malade vint nous informer que ses
malaises gastriques avaient disparu.

Devions-nous en faire honneur au remède ?
Nous ne savons. Les femmes galantes ont de ces
ennuis qui ne sont pas de durée : souvent un
nouvel amant leur fait oublier leurs peines en com-
blant le vide de celui qu'il remplace.

Mais si on a lieu de contester le mérite du bismuth dans les gastralgies, tous les jours on lui
rend un hommage incontesté dans le dévoiement
aigu des enfants. Depuis plusieurs années on en
fait une consommation énorme pour cette classe
d'affections morbides, et avec des succès qui le
rendent très-précieux.

Nous avons eu l'occasion de l'employer dans
une circonstance qui ne sortira jamais de notre
mémoire.

Dans les grandes chaleurs du mois de juillet 1852, une jeune fille de huit mois, nerveuse et
délicate, fut prise soudain de coliques, avec des
selles diarrhéiques répétées et si douloureuses,
qu'après une demi-journée elles amenèrent les
convulsions. Les moyens ordinaires étaient im-
puissants ; la petite malade s'affaissait et ne
pouvait pas tarder de rendre le dernier soupir.
Nous songeâmes au magister de bismuth. On pré-
parait le remède, quand arriva un docteur illustre
qui traite spécialement les maladies des enfants,
et qu'on avait appelé à notre aide. Sans avoir été
prévenu de la décision de son confrère, il proposa
le même agent curatif. La potion était prête, elle
fut avalée sur-le-champ.

Dans les premières vingt-quatre heures, il n'y eut qu'une selle ; le lendemain encore une selle, et les convulsions diminuèrent. Le troisième jour, elles n'existaient plus, et l'enfant entrait en pleine convalescence.

Le succès répondit, nous ne dirons pas, à notre attente, mais au désir ardent des parents qui tremblaient pour les jours de leur fille, et la considéraient déjà comme perdue.

—

Chez les adultes, le bismuth ne paraît pas jouir de la même réputation ; du moins, l'expérience n'a pas encore appris les cas particuliers qui le réclament. Toutefois, la guérison signalée plus haut démontre sa puissance. Espérons que la pratique éclairée des hommes spéciaux ne tardera pas d'en préciser les indications, et de faire la part de l'enthousiasme.

Mais que la gloire de ce dernier remède ne nous rende pas ingrats, et ne nous autorise pas à dénier, à répudier les services de ses devanciers. En médecine, il n'y a pas de médicament infaillible ; chacun opère en son temps, a ses heures de triomphe, et l'habileté des médecins consiste à saisir leur à-propos.

Au mois d'août 1851, une femme encore jeune,
du bourg d'Anse (Rhône), revenait des eaux de
Saint-Galmier où on l'avait envoyée pour une
diarrhée chronique. Tous les liquides, même les
eaux thermales, rappelaient son indisposition.
Aussi, l'inspecteur de l'établissement de Saint-
Galmier l'avait congédiée; et, en passant à Lyon,
elle désira avoir notre avis. La pauvre malade
était réduite à se nourrir exclusivement de soupes
de pain cuit; elle commençait à se dégoûter de cet
aliment peu savoureux et par trop uniforme.
Aussi, remarquait-elle qu'elle maigrissait beaucoup, et tous les agents médicinaux ordonnés jusqu'alors n'avaient fait, assurait-elle, qu'exaspérer
le mal.

Nous conseillâmes gros comme un haricot de
diascordium, plus un mélange de conserve de
roses et de sirop de morphine.

Cette dame ne revint pas nous visiter au bout
d'une semaine, comme nous en étions convenus;
mais vingt-cinq jours après, elle nous écrivit de
Trévoux, sa nouvelle résidence, que notre con-
sulte l'avait guérie, et que si elle retombait, elle
s'empresserait de venir nous voir de nouveau.

Nous avons ignoré si cette malade avait usé du

magister de bismuth avant d'aller aux eaux, et nous n'oserions pas affirmer qu'il eût montré autant d'efficacité que dans les cas désignés ci-dessus. Quoi qu'il en soit, comme on dit vulgairement, l'abondance ne nuit pas, et il est bon d'avoir plusieurs cordes à son arc.

HYPOCONDRIE

Un docteur expérimenté, qui a traité avec succès un certain nombre de gastralgies, de gastro-entéralgies, confond à dessein l'entéralgie avec l'hypocondrie.

Nous avouons ne pas comprendre les motifs de cette confusion de l'entéralgie, affection nerveuse des entrailles avec désordre de leurs fonctions, et de l'hypocondrie, maladie spéciale du cerveau réagissant sur les autres appareils.

Ces deux maladies ne se rencontrent-elles pas fréquemment isolées? Combien d'hypocondriaques, et des plus gravement atteints, des plus malheureux, ne se plaignent jamais de mal digérer et n'observent aucun régime! L'hypocondrie peut donc être essentielle, ne pas dépendre de la lésion d'autres organes.

Bon nombre de gastralgiques sont plus ou

moins hypocondriaques, toujours disposés à se plaindre et à faire le récit de leurs douleurs ; ils passent leurs journées à scruter minutieusement leur estomac, à interroger, interpréter toutes leurs sensations ; leur imagination est ingénieuse à les tourmenter. Ils souffrent plus de l'inquiétude, de la peur à laquelle ils sont en proie, que du mal réel qu'ils endurent et dont ils s'exagèrent la gravité ; et ce qui prouve évidemment que leur affection cérébrale a pris naissance dans l'estomac, c'est qu'en rétablissant les fonctions de ce dernier viscère, elle disparaît spontanément. Ils retrouvent le calme de l'esprit, en guérissant leurs nerfs gastriques.

Mais les quelques individus que nous avons traités d'une simple entéralgie, dont l'estomac était resté parfaitement sain, qui se plaignaient seulement du trouble de la digestion intestinale, ne présentaient pas la plus légère nuance d'hypocondrie.

Ici nos observations seraient en opposition directe avec celles de notre confrère. Au reste, nous ne voulons qu'exposer les faits tels qu'ils nous sont apparus, en laissant le champ libre à d'autres pour recueillir de nouvelles observations. Nos en-

téralgiques racontaient leurs malaises simplement,
sans en être affectés, sans exagération aucune.
Certainement ils désiraient, comme tous les malades, s'en voir délivrés; mais leur souci n'allait
pas jusqu'à troubler la paix de leur âme et à les
remplir d'effroi. Or, ainsi ne font pas les hypocondriaques.

On lit dans le *Dictionnaire des sciences médicales* : « Les symptômes de l'hypocondrie sont
extrêmement nombreux et variés; il n'est presque
aucune partie du corps qui ne soit le siége de quelques souffrances, de quelque trouble, surtout si
on étudie la maladie sur un certain nombre d'individus : la tête, la poitrine, l'abdomen, les parties les plus éloignées sont tour à tour, ou en même
temps, accusées par les malades de recéler différentes causes de gêne, de désordres, de douleurs,
d'affections diverses.

« La tête est le siége d'une foule de sensations
pénibles et douloureuses; les malades se plaignent
d'y ressentir des douleurs violentes, plus ou moins
étendues, des malaises, des chaleurs, des pesanteurs, des serrements, des compressions, des four-
millements, des battements; ils entendent dans
l'intérieur du crâne des bruits singuliers, des sif-

flements, des détonations, de la musique, le murmure d'un ruisseau. Parfois la circulation capillaire de la tête est activée; la chaleur et la rougeur de cette partie sont augmentées; le sommeil est souvent difficile, de peu de durée, troublé par des rêves, par des accès de cauchemar, interrompu par des réveils en sursaut, par des bruits extraordinaires dans la tête; quelques malades ne dorment presque jamais, d'autres dorment assez bien. »

A cette description, le docteur Vignes ajoute : « Les malades sont, en général, d'une grande susceptibilité : toute impression vive les incommode, les contrarie; la grande lumière, les odeurs fortes, toutes les variations de l'atmosphère leur causent des souffrances; ils sont sujets à des éblouissements, à des vertiges; l'odorat est souvent dépravé, ainsi que le goût : quelques-uns aiment les odeurs les plus désagréables et savourent des substances détestables.

« L'humeur de ces malades est, en général, très-inégale; ils ont, tour à tour, de la crainte et de l'espérance, de la gaieté et de la tristesse, des ris et des pleurs, de la timidité et de l'irascibilité; défiants, ombrageux, pusillanimes, ils se tour-

mentent, fatiguent ceux qui sont autour d'eux.
Leur esprit mobile est pris de terreurs paniques ou
d'accès de désespoir ; leurs affections sont quelquefois totalement changées. Leur santé les tourmente et les occupe presque continuellement,
parce qu'ils croient être dans le plus grand danger ; ils se plaignent d'avoir des idées lentes, difficiles, souvent confuses, d'avoir même des absences
de mémoire, ou bien de l'exaltation dans les
pensées ; les idées les plus diverses les assiégent
sans qu'ils puissent les diriger. Ils se plaignent
aussi de faiblesses extrêmes, d'anéantissements :
ils appellent cela des agonies, et emploient les
expressions les plus exagérées pour peindre leur
état ; ils se figurent que leur maladie les conduira
à la perte entière de l'intelligence, à la stupidité, à
l'apoplexie, etc. ; et disent souvent aussi que la
mort est préférable à leur position : ils l'invoquent
souvent comme la fin de leurs peines.

« Les hypocondriaques ressentent quelquefois des
resserrements spasmodiques au cou, qui semblent
les étrangler, ou la sensation d'un corps étranger
qui comprime le conduit aérien ; ils éprouvent
très-souvent aussi des spasmes à la poitrine et de
l'oppression. La plupart éprouvent des palpita-

tions anormales de cœur, même quelquefois douloureuses ; le pouls varie beaucoup : il est tantôt
fort, tantôt petit, et cela change dans un instant ;
il peut être intermittent. La langue est ordinairement dans l'état naturel, quelquefois un peu
chargée d'un enduit jaunâtre, le matin en particulier. Quelques-uns de ces malades sécrètent une
quantité considérable de salive ; la digestion est
souvent lente et douloureuse, comme chez les
gastralgiques, avec un sentiment de chaleur et de
gonflement à l'épigastre, des gaz acides, qui sortent avec bruit par la bouche, avec un sentiment
de chaleur vers la tête, d'où résultent des angoisses et l'imminence des syncopes. Dans ces cas,
il peut y avoir un afflux plus ou moins considérable de sang vers la tête. L'appétit, comme dans
toutes les névrôses des voies digestives, est variable, peu développé, parfois chez les uns considérable, et même boulimique chez d'autres. La
soif se fait peu sentir en général. Tous ou presque
tous ces malades sont constipés : ils vont rarement
à la selle et toujours péniblement ; il leur semble
que leurs entrailles sont brûlantes avec une sensibilité extrême de l'abdomen. »

M. le docteur Brachet, dans son ouvrage *ex*

professo, résume ainsi les symptômes de l'hypocondrie : « Douleurs plus ou moins aiguës, senties
dans différentes parties du corps, et surtout à la
tête et à l'épigastre; palpitations du cœur, et surtout battement dans le centre épigastrique; borborygmes, flatuosités; idées noires sur toutes les
sensations qu'on éprouve, leur conversion en une
foule de maladies imaginaires; préoccupations
continuelles de ses souffrances; craintes désespé-
rantes de la mort, envie désordonnée de guérir et
avidité des remèdes; recherche des livres de médecine et de la conversation sur ce sujet; bizarrerie extrême dans le caractère. Affaiblissement
des facultés intellectuelles à force de les concentrer
sur un seul point. »

Il ajoute ailleurs : « L'organe de l'intelligence,
le système nerveux cérébral et celui de la vie organique sont le siége spécial de l'hypocondrie : le
caractère de la maladie est un désordre, beaucoup
plus qu'une irritation, dans l'exécution des actes
auxquels président les organes de la vie : désordre
dans l'imagination, dans les sensations et dans les
actes de la vie organique. »

Si nous voulions à présent énumérer toutes les
méthodes curatives préconisées tour à tour contre

cette affection bizarre et douloureuse, il nous faudrait passer en revue à peu près toute la matière médicale, et les adoucissants, lait, petit-lait, bouillon de poulet et de veau, et les évacuations sanguines, et les calmants, opium, belladonne, et les antispasmodiques, l'aimant, le magnétisme, l'électricité, la musique, et les toniques, et les évacuants, vomitifs, purgatifs, et les sudorifiques, et les dérivatifs, les eaux minérales, les bains, l'exercice, les voyages, etc.

Chaque système en vogue a pesé sur le traitement de cette maladie, l'a changé, l'a modifié, a pu avoir des succès, et a eu ses mécomptes, parce que les moyens curatifs doivent varier avec la cause et les symptômes plus ou moins graves, avec l'âge, le sexe, les goûts, les habitudes, et quelquefois la position sociale des hypocondriaques.

Le moral et le physique sont affectés dans cette maladie : il faut donc adresser les remèdes aux organes et à l'imagination.

1°

Le premier devoir du médecin est de gagner la confiance du patient. Pour cet objet, il importe de l'écouter avec bonté, de lui témoigner de l'in-

térêt, de prendre part à ses peines, de le consoler
enfin, de l'examiner, de l'interroger attentivement;
puis, la nature et les circonstances de la maladie
étant bien appréciées, s'appliquer à le convaincre
que l'on comprend parfaitement son mal, et que
toutes ses douleurs peuvent bien guérir. En un
mot, il faut le dominer, pouvoir lui commander,
en être obéi. Or, un hypocondriaque docile aux
prescriptions de son docteur n'est pas chose commune. Surtout, qu'on se garde bien de sourire
d'incrédulité pendant le récit exagéré de ses souffrances, et de le mortifier en prétendant qu'elles
ne sont qu'un effet de son imagination en délire,
il vous tournerait le dos, sortirait indigné, en dé-
chirant et foulant aux pieds votre ordonnance.

2°

Il est nécessaire que l'hypocondriaque s'occupe,
autant que possible en compagnie, moins d'esprit que de corps, et s'abstienne de parler de maladie.

Pourquoi? parce que l'oisiveté affaiblit, énerve
à la longue et les organes et l'intelligence, qu'elle
entretient, perpétue l'hypocondrie quand elle n'a
pas aidé à la produire; parce qu'il faut changer

les habitudes du patient, l'arracher à ses tristes
idées, développer ses forces musculaires, afin de
répartir uniformément l'influx nerveux, d'empêcher le sang d'engorger le cerveau et les autres
viscères.

On voit des artisans, naguère très-laborieux,
négliger leur travail, fuir la société de leurs amis,
rechercher la solitude, afin de savourer, pour
ainsi dire plus à l'aise, l'amertume de leurs douleurs. Ils n'ont plus qu'un goût, qu'un besoin,
c'est de rêver à leurs maux, de s'en entretenir, de
consulter et d'essayer des remèdes sans achever
aucun traitement. Puis ils s'affligent, se la-
mentent, appellent la mort et tremblent de mourir.

3°

Le médecin doit rechercher comment s'exécutent les fonctions principales de l'organisme,
particulièrement la digestion, puisque la lésion
des nerfs gastriques s'accompagne souvent de
l'hypocondrie; voir, s'il est besoin, de tempérer,
de calmer, d'adoucir, de fortifier, d'avoir recours
aux évacuations sanguines, humorales, etc., en
ayant soin d'administrer les remèdes avec prudence, à faible dose d'abord, de peur de nuire, en

irritant les nerfs si irritables, de varier ces remèdes, d'en suspendre l'usage à propos, pour y
revenir dans la suite, sans se déconcerter ni se décourager à cause de l'opiniâtreté du mal qui résiste souvent au traitement le mieux indiqué, parce
qu'il doit coïncider avec le traitement moral.

Dans les cas nombreux où les fonctions sont
normales et complètes, quoique douloureuses,
nous avons obtenu de beaux succès au moyen des
bains froids, continués un certain temps, en en
prolongeant la durée à mesure que diminuait la
susceptibilité de la peau.

Le premier effet, l'effet immédiat de l'immersion dans l'eau froide est de refouler le sang dans
l'intérieur, et, par l'effet de la réaction souvent
renouvelée, ils activent les fonctions de l'enveloppe cutanée, des viscères, dissipent les engorgements, augmentent les forces et causent un bien-
être général.

Cet effet suffit-il pour expliquer la guérison de
l'hypocondrie? Nous ne savons : nous voulons
seulement constater un fait dont nous avons été
bien des fois témoin, et nous engageons nos confrères à en vérifier l'exactitude, pour savoir tout
le parti qu'on peut tirer des bains dans la mala-

die qui nous occupe, maladie affreuse pour quelques-uns, et qui trop souvent met en défaut toute
la science des gens de l'art : car la multitude des
remèdes invoqués prouve l'incertitude et trop souvent l'impuissance. Aurait-on ainsi besoin de
fouiller dans tout l'arsenal thérapeutique si l'on
connaissait des moyens qui en triomphent habituellement?

En passant en revue les guérisons opérées par
les eaux des Pyrénées, Bordeu signale ainsi leur
vertu sur les hypocondriaques :

« Quelques-uns parurent être guéris par l'usage
des eaux chaudes, en boisson et en bain, et beaucoup d'autres en furent soulagés. J'ai parfaitement remarqué que ceux à qui les eaux causaient
une grande chaleur dans les entrailles guéris-
saient radicalement s'ils persévéraient dans leur
usage. »

Quand donc la pharmacie, l'hygiène, les bains
froids n'ont pas délivré de leurs maux les malheureux hypocondriaques, on a encore la ressource de certaines eaux minérales, comme dans
la gastralgie, l'entéralgie et les autres troubles des
viscères abdominaux.

VOMISSEMENT DES ALIMENTS

La plupart des gastralgiques ne rejettent pas les aliments. Plus ou moins de temps après le repas, vous les voyez porter leur main à l'épigastre, avec une physionomie inquiète et anxieuse; ils se plaignent de pesanteurs, de resserrement, de gonflement, etc.; mais, malgré ces malaises et d'autres énumérés ailleurs, le bol alimentaire est retenu; plusieurs même de ces individus présentent l'embonpoint et la fraîcheur d'une belle santé. Quelques-uns vomiront des glaires, particulièrement à jeun. Nous donnons actuellement des soins à un homme de quarante-cinq ans, affligé d'une gastralgie depuis huit années : à chaque repas, après les premières bouchées, il se lève de table pour rejeter quelques cuillerées d'eaux filantes, après quoi il recommence à manger sans autre accident.

Chez un très-petit nombre, et surtout parmi les

femmes, l'estomac trop irritable ne peut supporter le contact de la nourriture : il la rejette en totalité ou en partie, avec plus ou moins d'effort et d'ébranlement.

Quel traitement faut-il adopter contre le vomissement?

Puisqu'il est dû à l'extrême sensibilité gastrique, la raison et la prudence veulent qu'on ait d'abord recours aux sédatifs, à ces remèdes capables d'endormir la douleur, de calmer la vive susceptibilité du ventricule, à l'opium et à la glace.

Ainsi, on applique au creux de l'estomac un emplâtre de sparadrap saupoudré d'hydrochlorate de morphine, et mieux, on verse un demi-grain de ce sel sur la peau dénudée de son épiderme; on l'administre aussi à l'intérieur, de préférence, sous la forme de sirop.

Nous avons déjà cité l'observation d'une jeune femme des Brotteaux (Rhône), qui, depuis trois mois, ne gardait à peu près rien, et était arrivée au plus haut degré d'émaciation. Une cuillerée à café de sirop de morphine et autant de glace pilée mirent fin à l'accident. En continuant cinq à six fois le jour l'usage de ces moyens, les digestions furent bientôt rétablies.

Quand les premières doses restent sans effet, il ne faut pas craindre de les élever, car les nerfs endoloris supportent impunément une quantité considérable de narcotiques. On peut aller jusqu'à 1 gramme et plus d'opium dans les vingt-quatre heures.

Le vomissement supprimé, le malade doit-il s'en tenir là et renoncer aux médicaments?

Nous regardons ici le vomissement comme la dernière période d'une gastralgie aiguë, d'une gastralgie avec violent éréthisme : il importe donc, non-seulement d'adoucir, d'apaiser l'éréthisme, mais encore, s'il est besoin, de fortifier l'organe affaibli ; en d'autres termes, on fait suivre à l'individu le traitement complet, régulier, de l'état gastralgique ; car, en abandonnant au régime le soin d'opérer la guérison radicale, on expose au retour du vomissement : il suffit de quelques aliments d'une digestion un peu difficile ou pris en trop grande quantité.

OBSERVATION

Au printemps de 1847, madame D***, de Tournus (Saône-et-Loire), naturellement impressionnable et sujette aux palpitations de cœur, eut une indisposition qui occasionna des vomissements prolongés. Son estomac, à partir de ce moment, ne gardait plus rien : il rejetait tout, hormis l'eau froide : aussi, après quinze à dix-huit jours, cette jeune femme, dont le corps avait toujours été frêle, se trouva exténuée, avec la maigreur du squelette : elle n'avait plus la force de se tenir cinq minutes sur son séant; le cœur battait violemment avec des mouvements désordonnés, et semblait la menacer de suffocation. Les jambes commençaient à enfler.

Son médecin, qui lui prodiguait ses soins depuis le premier jour de l'accident, avait ensuite averti la famille qu'il y avait anévrisme, et que les désordres du côté de l'estomac dépendaient de l'affection du cœur, laquelle est au-dessus des ressources de l'art.

Une année auparavant, madame D*** était venue nous demander conseil à Lyon, pour ses palpitations et des malaises gastriques habituels. Ayant été soulagée, après deux ou trois semaines, elle avait cessé tout traitement. Plus tard, à l'époque dont nous parlons, quand elle se sentit en danger, elle pria instamment qu'on nous écrivît, pour nous faire part de sa triste situation et ré-

clamer lé secours de nos lumières. Mais l'état était
trop grâve pour qu'il fût possible de la traiter par
correspondance : il fallait la voir, l'examiner attentivement, afin de juger si on devait espérer encore. Les parents craignaient les suites du déplace-
ment : Tournus est à dix-huit lieues de Lyon. Il
est vrai que les bateaux à vapeur de la Saône font
ce trajet en six heures ; mais le docteur de la localité leur assurait que cet anévrisme allait *éclater*
d'un instant à l'autre, et que, très-probablement,
la malade expirerait en chemin. On hésitait ; madame D*** le demanda instamment, on obéit.
Elle fut placée dans un fauteuil, soigneusement
enveloppée, et elle arriva sans encombre à Lyon,
dans un hôtel situé près de notre demeure.

De suite, nous fîmes prendre du sirop de morphine et du bouillon de bœuf à la glace : ni l'un ni
l'autre ne fut vomi. Bientôt on essaya les potages,
les gelées de viande, le vin vieux étendu d'eau
froide, ils étaient digérés. L'appétit se réveillait, et
la malade avait besoin qu'on lui fît sa part ; mais
un jour, voyant manger du ragoût de mouton, elle
en demanda ; sa garde, trop complaisante, n'eut
pas la force de la refuser ; mais elle ne tarda pas à
s'en repentir. Il causa indigestion, puis vomisse-

ments, diarrhée, enflure des jambes, abattement extrême.

Appelé en hâte, nous fûmes témoin de la re- chute; mais qu'y pouvions-nous faire? force nous fut de voir *couler le torrent;* et après l'orage, quand le calme fut rétabli, on revint au sirop de morphine, on but du bouillon de poulet glacé, puis du bouillon de bœuf coupé, ensuite pur. On ne tarda pas de supporter la conserve de roses, le suc de viande, la gelée de coings, du vin de Bor- deaux dans de l'eau à la glace. Et, après dix-huit ou vingt jours, madame D*** fut en état de s'en retourner.

Elle revint nous voir, deux mois après, avec de l'embonpoint et les couleurs de la santé.

La récidive avait été telle, que nous fûmes bien près de désespérer; tout en continuant nos soins, nous craignions qu'ils ne fussent stériles, et ne nous attendions guère à les voir couronnés du succès.

Cet exemple démontre la nécessité d'un régime sévère, quand l'estomac a contracté l'habitude des vomissements, parce que le moindre écart peut les rappeler et entraîner les accidents sinon mortels, au moins toujours très-graves.

Il prouve, en outre, l'obligation, pour le médecin, de ne pas se contenter de calmer les nerfs gastriques, mais il doit se hâter de les fortifier, ne pas lâcher prise avant qu'il n'ait rendu à l'organe débilité sa vigueur normale par des aliments et des médicaments toniques.

De plus, nous devons y réfléchir à deux fois, avant d'annoncer à une famille un pronostic funeste, avant d'avertir un mari de se résigner à voir mourir sa femme. En effet, qu'a dû penser le médecin de cette dame, lorsqu'il l'a vue se promener gaiement dans la ville, manger, digérer, vaquer à ses occupations, lui, qui prétendait qu'il n'y avait, pas plus à Lyon qu'ailleurs, de docteur capable de la guérir? Un tel jugement n'a pas fait honneur à sa sagacité.

Nous avons eu occasion de traiter des malades affectés d'une toux chronique, déjà condamnés comme *poitrinaires*, et qui ont guéri; des gastralgiques vomissant les aliments, regardés comme atteints d'un squirrhe ou cancer, et le vomissement a été arrêté, et leurs digestions ont été rétablies; de jeunes femmes, se plaignant de palpi-

tations que d'autres avaient crues anévrismati-
ques, et ces palpitations ont diminué ou disparu.

Avons-nous fait des miracles? Non, certes. Il
faut conclure seulement qu'il n'est point rare de
rencontrer des désordres fonctionnels présentant
les symptômes d'affections organiques. C'est pourquoi il vaut souvent mieux s'abstenir que de prononcer une sentence médicale sur l'issue pré-
sumée funeste de telle ou telle maladie. Il suffit
d'un seul démenti, d'une cure obtenue là où
vous aviez pronostiqué la mort, pour ôter plus
tard toute créance à vos prophéties.

OBSERVATION

Un homme de la campagne vint un jour nous
visiter, nous priant de lui indiquer des remèdes
pour guérir sa femme. Depuis huit à dix jours,
elle vomissait à peu près tout ce qu'elle prenait,
avec des efforts si violents, qu'elle n'avait plus la
force de se tenir debout ni assise; elle gardait le
lit, abattue, demi-morte.

Un médecin des environs avait ordonné plusieurs potions qui n'avaient pas réussi; il était
convaincu que la malade ne tarderait pas de succomber aux secousses et à l'épuisement.

Le mari ignorait ce qui avait provoqué les vomissements. Auparavant, sa femme se portait assez bien, avait de l'appétit, ne digérait pas mal. Elle avait trente-deux ans, était grande, assez maigre, peu robuste; plusieurs fois elle avait eu l'estomac dérangé, après avoir beaucoup levé les bras pour étendre le linge (elle était blanchisseuse); mais jamais il ne l'avait vue rejeter les aliments.

Nous conseillâmes les moyens suivants : appliquer au creux de l'estomac un morceau de sparadrap saupoudré d'hydrochlorate de morphine, 30 centigr.; avant de manger, avaler une cuillerée à café de sirop de morphine, cinq fois le jour, et, dès que se font sentir les nausées, prendre une demi-tasse d'infusion de menthe, chaude et sucrée; user de bouillon, de légers potages.

Après trois jours, au lieu du sirop de morphine pur, boire une tasse d'infusion de mélisse, dans laquelle on aura versé le sirop de morphine.

La semaine écoulée, notre paysan revint nous voir. Sa femme ne vomissait plus, elle avait repris un peu de forces, et se tenait le jour sur un fauteuil. Elle n'osait pas se nourrir d'autre chose que de bouillon, de soupes claires.

On supprima l'infusion de menthe, qu'on remplaça par une tasse de café de glands : on devait
prendre, à déjeuner, de ce même café, coupé avec
du lait.

Après la quinzaine, la malade ayant perdu l'habitude des vomissements, put renoncer à la mélisse et au sirop de morphine. Afin de donner du
ton à l'estomac, elle commença l'usage d'un électuaire au sous-carbonate de fer, du sirop de
quina et d'écorce d'oranges.

Au bout du mois, cette femme ayant repris ses
habitudes et son régime ordinaire, assurait qu'elle
digérait mieux qu'avant sa maladie. Comme elle
nous parut assez délicate, nous l'engageâmes à
continuer encore l'électuaire et les mêmes sirops.

Il n'est point rare d'entendre, surtout des
femmes, se plaindre de dérangement d'estomac,
après avoir étendu les bras. Nous fûmes persuadé
que de tels mouvements, que ces manœuvres,
avaient seules causé le vomissement, et nous trai-
tâmes en conséquence.

Comme déjà, plusieurs fois, cette femme avait
accusé des malaises gastriques et des digestions
laborieuses, nous insistâmes beaucoup sur une

alimentation substantielle, et sur l'usage longtemps continué des amers et d'autres remèdes toniques.

Nous avons déjà vu que les meilleurs calmants dans certaines gastralgies douloureuses ne sont pas l'opium ou ses succédanés, et que les toniques ont seuls la propriété de détruire l'*irritation*, d'endormir la vive sensibilité de l'estomac quand elle est occasionnée par la faiblesse.

Il en est de même dans les vomissements : le fer et les excitants aromatiques, en relevant le ton de l'organe, réussissent à le mettre en état de remplir ses fonctions, et l'empêchent de rejeter au dehors le bol alimentaire.

Seulement, il ne faut jamais oublier qu'on doit commencer l'usage des fortifiants à très-faible dose, de peur de stimuler, quitte à la doubler, à la tripler dans la suite, quand on est sûr qu'ils sont bien digérés et qu'ils font du bien.

OBSERVATION

En 1846, madame M***, rue de Bourbon, à Lyon, souffrait depuis près d'un an de mauvaises digestions, fréquemment suivies de vomissements et même de convulsions hystériques. Son médecin, docteur expérimenté, après divers traitements qui avaient échoué, crut devoir l'envoyer à la campagne. Elle s'y trouvait depuis quinze jours, et l'ennui qu'elle y éprouvait, en n'y ressentant aucun soulagement, contribuait à aggraver son état. Son mari, qui était resté en ville, entendant parler de plusieurs cures que nous avions obtenues chez des personnes affectées des nerfs et de l'estomac, s'empressa de lui en écrire et de l'engager à revenir à Lyon, afin de se confier à nos soins.

C'était une femme de trente à trente-deux ans, d'une taille moyenne, assez maigre et pâle, d'un tempérament nerveux, d'un caractère vif et emporté, et, comme la plupart des gastralgiques soumis à un régime débilitant ou qui mangent peu, elle avait une loquacité intarissable.

Entre autres détails, elle nous raconta qu'elle vomissait plutôt après avoir mangé des légumes que si elle s'était nourrie de viandes ou d'autres aliments fournissant beaucoup de suc nutritif.

Cette circonstance et l'inspection de sa langue qui était blanche et humide dans toute son étendue, nous déterminèrent à recourir aux toniques.

Nous fîmes prendre d'emblée le chocolat martial à très-faible dose d'abord, en recommandant de l'augmenter rapidement, s'il était bien supporté.

A la deuxième visite, après huit jours, madame M*** nous informa qu'elle n'avait pas eu dans toute la semaine une seule *crise* ni un seul vomissement. Le chocolat faisait plaisir, et, s'il venait à manquer pendant quelques heures, on en sentait le besoin; la malade osait mieux manger et se sentait moins faible; sa physionomie était calme, douce, et elle était pleine d'espérance.

Après deux semaines, l'amélioration était remarquable : madame M*** n'avait pas la moindre tendance à vomir, le visage se colorait, les forces augmentaient de jour en jour, la digestion était à peine sentie, et l'on prenait une quantité raisonnable d'aliments.

Alors nous ajoutâmes l'écorce du Pérou au souscarbonate de fer, et, plus tard, le café de glands; et, après deux mois, deux mois et demi, cette jeune femme, parfaitement délivrée de sa gastralgie, des vomissements et des attaques de nerfs, paraissait jouir d'une nouvelle vie, après avoir retrouvé sa gaieté avec la vigueur qu'elle avait perdue depuis longtemps.

Depuis cette époque et pendant deux ou trois ans, nous avons eu l'occasion de la revoir ; sa santé se maintenait, et elle n'avait plus besoin d'invoquer les secours de l'art.

Madame M*** était du nombre de ces personnes délicates et très-sensibles, chez qui une gastralgie ne manque pas d'ébranler tout l'appareil nerveux. Elle se plaignait, en outre, tantôt d'une névralgie temporale, de la migraine, tantôt de palpitations de cœur, de douleurs erratiques parcourant les membres, ou d'un spasme général qui l'accablait de tristesse, et lui faisait désirer la mort.

Souvent tout ce cortége de symptômes et de douleurs a pour cause primitive une contrariété, un accès de colère. Ces affections tristes resserrant l'épigastre, le repas suivant pèse ou cause une indigestion ; on vomit, le vomissement appelle le vomissement, et voilà un estomac dérangé.

Heureux quand la gastralgie étant déjà ancienne on s'adresse à un médecin dont le coup d'œil et l'esprit d'observation lui font discerner

de suite l'état précis des organes, et quels remèdes
sont capables de dissiper tous les maux.

Si le spasme depuis longtemps disparu, la faiblesse entretient seule les douleurs gastriques et
autres, les toniques font merveille, et les patients
ne peuvent assez admirer comment, avec du chocolat martial ou un électuaire, on fait disparaître
toutes leurs souffrances.

Oui, les excitants, les toniques sont fréquemment indiqués dans le vomissement, car Bordeu
signalait, il y a un siècle, la source de la Raillère,
à Cauterets, comme *fort efficace*. Nombre d'autres
sources jouissent de la même vertu ; mais le dif-
cile, l'habileté du docteur, est dans l'à-propos du
remède.

Hélas ! les sédatifs et les excitants ne suffisent
pas toujours pour arrêter le vomissement des gastralgiques ; et alors le médecin est livré à ses
propres inspirations ; il recherche s'il ne se présente pas quelque indication particulière.

Un chirurgien militaire a cité l'observation de
plusieurs femmes qu'il a délivrées de leur vomissement au moyen de la magnésie, sans doute
parce qu'il était dû à une sécrétion anormale de
glaires plus ou moins acides.

Voici deux de ces observations :

« Mademoiselle H***, de Châblis, âgée de vingt-cinq ans, brune et d'un tempérament sanguin, éprouvait depuis deux mois un vomissement de glaires, qui se répétait tous les matins et la fatiguait beaucoup. Consulté par elle au mois d'octobre 1828, je lui conseillai de la magnésie, à la dose d'un demi-gros par jour, qu'elle prit à jeun dans un verre d'eau sucrée. Trois jours après, le vomissement cessa, et j'ai su depuis qu'il n'avait pas récidivé. »

Cette jeune personne ne rejetait pas les aliments : aussi l'observation est peu concluante.

« Mademoiselle A***, ouvrière en linge, à Vendôme, âgée de vingt ans, blonde, d'une taille élancée et d'un tempérament lymphatique-sanguin, éprouva, à l'âge de dix-huit ans, une forte douleur épigastrique, pour laquelle elle consulta différents médecins de la ville et des environs. Le premier qui fut appelé regarda la maladie comme un simple embarras gastrique, et prescrivit en conséquence un grain de tartre stibié. Il en résulta des vomissements bilieux très-abondants, qui sou-

lagèrent la malade au point de lui faire croire
qu'elle était guérie. Mais deux mois après, la
douleur d'estomac reparut, et un autre médecin
fut consulté. Celui-ci conseilla une application de
vingt sangsues à l'épigastre, l'usage des boissons
mucilagineuses et une diète sévère. Loin de se
calmer, la douleur épigastrique redoubla de violence, et trois jours elle fut accompagnée de grands
efforts pour vomir. Le médecin ordonna une seconde application de sangsues, qui ne fut point
faite, parce que la malade s'y refusa, et l'on fut
obligé de s'en tenir aux autres anti-phlogistiques.
La douleur d'estomac diminua un peu, mais
toutes les substances ingérées étaient rejetées par
le vomissement, même l'eau sucrée. Cet état dura
quatre mois, malgré le régime débilitant qui fut
suivi avec constance, d'après le conseil de plusieurs docteurs auxquels on s'adressa tour à tour.
Tous pensaient que mademoiselle A*** était atteinte d'une gastrite chronique; l'un d'eux crut
même qu'il y avait un commencement de squirrhe
au pylore : opinion d'autant plus vraisemblable
qu'elle ne pouvait rien garder dans l'estomac. Effrayée de ce pronostic, sa mère l'amena chez
moi dans le courant d'août 1828, et voici ce que

je remarquai : maigreur extrême, langue dans
l'état naturel, appétit prononcé, douleur épigastrique moins forte que dans le commencement de
la maladie, mais se faisant toujours sentir pendant la digestion, et ne disparaissant qu'après le
rejet des substances alimentaires, qui s'effec-
tuaient au bout de deux ou trois heures de leur
digestion dans l'estomac. Les boissons étaient
également vomies.

« Instruit par la mère de tout ce qui avait été fait
sans succès, je vis bientôt qu'il s'agissait d'une
gastralgie, pour laquelle j'ordonnai un demi-gros
de magnésie, à prendre en une seule fois, cinq
minutes avant le repas, dans une infusion de tilleul. La malade commença ce traitement le lendemain matin, et fut tout étonnée de ne sentir
aucune pesanteur à la région épigastrique après
avoir pris du café au lait, qui composait habituellement son déjeûner. Sa surprise redoubla deux
heures après, en s'apercevant que les envies de vomir ne revenaient pas comme les autres jours. Le
vomissement n'eut point lieu en effet, et il n'est
pas revenu depuis ce moment. Le lendemain, mademoiselle A*** vint me témoigner sa reconnaissance. Je l'engageai à continuer l'usage de la

magnésie, à la dose d'un demi-gros, avant le déjeuner et autant avant le dîner. Le régime ordinaire fut repris graduellement, l'embonpoint se
rétablit, et, au bout de trois semaines, la guérison
était complète. »

Le docteur Frank, premier médecin de la du-
chesse de Parme, a publié plusieurs exemples de
vomissements nerveux qu'il a guéris par différents
moyens.

« Pendant son séjour à Janina, en 1807, M. Frank
fut appelé chez un seigneur turc, âgé de cin-
quante-deux ans, qui, depuis plusieurs semaines,
était atteint d'une sorte de dyspepsie. Il vomissait
les aliments peu d'heures après les avoir ingérés.
Après un grand nombre de moyens tentés inutilement, M. Frank commençait déjà à craindre qu'il
n'existât une affection organique, lorsqu'il s'avisa
de donner vingt grains de racine de jalap, trente
grains de semen-contra, et six grains de calomel
en trois prises dans les vingt-quatre heures. Dès
le second jour, le ventre se ramollit, les selles se
rétablirent, et, en peu de temps, la guérison fut
complète. »

Une dame française, d'un très-haut rang, âgée de quarante ans, éprouvait depuis huit ans un vomissement chronique, pour lequel elle avait consulté sans succès les plus célèbres médecins français. Après beaucoup de tentatives infructueuses, M. Frank découvrit qu'elle gardait les aliments lorsqu'elle était dans le bain. Guidé par cette découverte, il lui fit prendre ses repas dans le bain, où il la fit rester six à huit heures par jour. Elle fut complétement rétablie par ce seul moyen.

Les cas qui suivent prouvent jusqu'à quel point le vomissement idiopathique peut résister aux remèdes les mieux indiqués, et cependant céder, comme par enchantement, à des moyens dus en quelque sorte au hasard.

Un homme, âgé de trente ans, très-sujet aux indigestions, éprouva, en 1796, pendant trois semaines, une disposition au vomissement, et vomit plusieurs fois par jour, alors même qu'il avait observé la diète la plus sévère. Fatigué d'une foule de remèdes qu'il avait pris inutilement, il déjeune avec du jambon cru et du vin généreux; dès ce moment, les vomissements cessent.—Une personne, tourmentée depuis quarante jours de vomissements, se rétablit en man-

geant un peu de jambon cuit, mais dont elle su-
cait seulement le jus. — Une dame, à Parme,
vomissait depuis quelques années tous les aliments
qu'elle prenait : quelqu'un lui conseilla d'avaler
une huître crue; elle la garda; on lui en donna
deux qui furent également gardées; on augmenta
peu à peu le nombre d'huîtres, et la malade fut
guérie.

———

Le docteur Guibert a publié l'observation suivante dans la *Revue médicale*, cahier de décembre 1827. Nous la remettons sous les yeux des lec-
teurs, parce qu'elle prouve l'efficacité de l'extrait
de racine de valériane contre le vomissement nerveux. Comme cette maladie est souvent rebelle à
beaucoup de moyens médicinaux, il est bon que
les praticiens connaissent tous ceux auxquels ils
peuvent avoir recours pour la combattre avec
succès.

« Madame B***, religieuse, âgée de trente-cinq
ans, usant depuis plusieurs années d'une mauvaise
nourriture, et en proie à de profonds chagrins, était
sujette à un vomissement nerveux qui se reprodui-
sait un certain nombre de fois par jour et la fatiguait extrêmement. Le retour de ce vomissement

était irrégulier; il survenait ordinairement après les repas, mais d'autres fois il paraissait dans leur intervalle. L'estomac n'était le siége d'aucune douleur, même par la pression ; le pouls, presque naturel, était faible, lent et toujours sans fièvre. Les autres fonctions s'exécutaient bien, seulement la malade maigrissait un peu et avait de la constipation. Son visage était constamment pâle. Cherchant à se débarrasser d'une maladie aussi insupportable, elle avait employé successivement, d'après les conseils de plusieurs médecins, l'eau de fleurs d'oranger, l'infusion du tilleul, puis les toniques, le sirop de quinquina, la rhubarbe, la gentiane, et aucun de ces moyens n'avait pu réussir à faire cesser les vomissements. Cette malade me fut adressée le 17 mai 1824. Après m'être informé soigneusement des symptômes qu'elle éprouvait et des remèdes qu'elle avait tentés jusqu'alors, je lui prescrivis les pilules d'extrait de valériane, de cinq grains chaque, au nombre de huit par jour; puis, j'en portai la dose à douze, quinze et dix-huit : au bout d'une semaine de leur usage, les vomissements devinrent moins fréquents. Ils étaient entièrement dissipés le 1ᵉʳ juin; et, depuis cette époque, ils ne reparurent plus. La malade

prit, dans tout le cours du traitement, environ
deux onces et demie de cet extrait. »

Dans la plupart des cas où les vomissements résistent aux moyens ordinaires de la gastralgie, il
est très-probable qu'ils sont dus, non pas à une
simple névrôse, mais à un principe rhumatismal,
arthritique, déposé sur l'estomac.

OBSERVATION.

En 1847, un ouvrier chapelier, homme de cin-
quante-trois ans, d'une taille moyenne, dont la
santé était habituellement assez bonne, fut pris de
vomissements qui revenaient tous les soirs et lui
faisaient rejeter une certaine quantité de la nourriture ingérée pendant le jour. Ne pouvant plus
continuer son travail, il alla consulter un médecin, suivit ses prescriptions pendant une quinzaine, et ne trouvant pas de soulagement, il entra
à l'hôpital, y fut traité vingt-cinq jours; puis, s'y
ennuyant et désespérant d'y recouvrer la santé, il
rentra à son domicile. Alors il s'adressa à nous.

Les chapeliers en fabrique travaillent dans des
cours, dans d'arrière-magasins, autour d'une
cuve, d'un baquet plein d'eau, où ils lavent et
relavent avec une brosse leurs chapeaux récem-

ment foulés, et sont ainsi exposés à prendre des refroidissements, à contracter des douleurs.

Nous crûmes donc ici à la présence d'un rhumatisme fixé sur l'estomac. En conséquence, le malade devait boire une demi-heure avant chaque repas, trois fois le jour, une verrée de la tisane de gaïac, douce-amère et espèces aromatiques, avec addition de quelques gouttes de teinture de gentiane.

Dès le premier jour, cette boisson arrêta le vomissement, et après deux semaines, cet ouvrier, ayant rétabli ses digestions, fut bientôt en état de retourner à son travail.

———————

Nous avons dit les traitements que réclament les vomissements essentiels de nature nerveuse; nous avons montré qu'il faut en général les envisager et les combattre comme une gastralgie aiguë, une gastralgie avec éréthisme; que les calmants ne sont guère que des palliatifs qui ne dispensent pas de recourir aux fortifiants alimentaires et médicamenteux; et la plupart de ceux qui résistent à nos moyens ordinaires dépendent moins d'un état spasmodique que d'un principe

rhumatismal ou goutteux déposé sur le ventricule.

Nous ne terminerons pas ce chapitre sans faire
mention des vomissements dus à d'autres causes,
au moins pour apprendre à les distinguer de ceux
dont nous venons de traiter plus haut.

Dans l'embarras gastrique, il y a quelquefois
vomissement; les matières étrangères qui tapissent
alors les parois de l'estomac l'empêchent d'être
stimulé convenablement par la présence du bol
alimentaire, et il le rejette avec plus ou moins
d'efforts. Ici, il est évident que le vomissement
est un symptôme de l'obstacle mécanique à la
digestion; on aurait tort de diriger contre lui le
remède; on doit remonter à la cause, chercher à
évacuer : pour arrêter le cours d'un ruisseau, il
faut anéantir la source.

La gastrite occasionne d'ordinaire le vomissement : les parois enflammées ne peuvent supporter le contact de la nourriture, encore moins la
triturer et remplir leurs fonctions; la douleur est
bien capable de produire la contraction de l'estomac, afin d'expulser ce qui l'offense.

S'il y a affection organique, en d'autres termes,
si une partie de la muqueuse stomacale est épais-

sie, indurée, si dans son intérieur il s'est développé un squirrhe ou un cancer, elle est devenue inhabile à se contracter sur la masse alimentaire, et la digestion reste incomplète. Dans ces cas, l'ouverture pylorique par où la pâte chymeuse descend dans l'intestin est rétrécie, obstruée de manière à ne laisser échapper qu'un peu de liquide. Aussi, la plus grosse portion est rejetée par en haut, après un séjour plus ou moins long, de douze heures, vingt-quatre heures et plus. Ici, le vomissement n'est encore qu'un symptôme. Le médecin, ayant reconnu la dégénérescence de l'estomac, s'applique, non pas à la détruire, puisqu'elle est incurable, mais à en diminuer les effets, à la rendre moins douloureuse. Il prescrit des aliments liquides et en petite quantité, afin d'empêcher les secousses du vomissement ; ne pouvant guérir le mal, son rôle est de le pallier et de l'adoucir.

Les causes du squirrhe sont les suivantes : un vice du sang acquis ou héréditaire, des chagrins prolongés, et surtout l'abus de la bonne chère, des liqueurs et des vins fins.

On le voit se développer vers l'âge de quarante-huit à cinquante-cinq ans, à la transition de l'âge

mûr à la vieillesse : au sang impur la vieillesse
paraît interdite.

Cette maladie terrible a défié jusqu'à présent
tous les remèdes, tous les efforts des praticiens.

Ne parviendra-t-on jamais à trouver un fon-
dant plus puissant que ceux que l'on possède
pour résoudre ces tumeurs? Bordeu a signalé plusieurs sources des Pyrénées qui guérissent les
engorgements de matrice; un praticien de Vichy
vient de publier l'observation d'un individu qui a
été délivré par ces eaux d'une *affection organique*
du cœur; le docteur Barrier, inspecteur des eaux
de Celles (Ardèche), prétend avoir découvert le
moyen de dissoudre les glandes indurées, et même
le squirrhe volumineux du sein. N'indiquera-t-on
jamais quelque remède pour fondre les engorgements de la muqueuse stomacale, au moins à
son début?

M. T*** était un homme de haute stature, aux
larges épaules, et avec les formes athlétiques. Son
estomac de fer, sa vigoureuse santé paraissaient devoir défier tous les excès. Dans l'aisance et presque
sans affaires, laissant de côté la politique et les

soins de sa fortune, il vivait dans une joyeuse insouciance; il était impatient du repos et de la solitude, recherchait la compagnie, toujours disposé aux parties de plaisirs et aux joyeux banquets.

Mais il n'y a pas de ciel sans nuages : de temps à autre des ennuis venaient troubler son enjouement. A l'âge de trente-cinq ans, il essuya une disgrâce éclatante, quelque peu méritée, et qui dut lui être d'autant plus sensible que son chagrin éveilla peu de sympathies. Sa santé n'en fut pas ébranlée, mais son caractère prit une teinte sérieuse qu'il n'avait jamais eue.

Sa position ayant changé, lui qui n'avait point fait d'économies au temps de sa prospérité, se vit obligé alors de restreindre ses dépenses et de vivre sobrement. Ce n'était plus que de loin en loin qu'il assistait aux galas, aux réunions de *viveurs*.

A quarante-sept ans survint une gastrite peu intense, qui fut mal soignée. A partir de cette époque, il y eut fréquemment des malaises d'estomac. On fut condamné à ne pas s'écarter d'un régime. Les excès produisaient leurs fruits; ils laissaient quelques jours l'épigastre pesant et même douloureux. M. T*** perdait peu à peu son visage fleuri et la vivacité de son regard.

Quand il approcha de la cinquantaine, il commença à vomir les aliments, pas tous les jours, mais c'était de plus en plus répété, et les forces diminuaient bien vite.

Un jour, dans ces tristes dispositions, il reçut une invitation à un festin, où devaient se rencontrer la plupart de ses anciens compagnons de jeunesse; il n'eut pas la force de laisser échapper cette occasion de se divertir; il y fut accueilli, fêté avec transport. « Une infusion de gaieté, lui disait-on, est plus favorable que toutes les drogues de la pharmacie. » Un bon dîner avec joyeux convives allait rétablir les fonctions de son estomac. Il y fit honneur, ne recula pas devant quelques rasades; mais au dessert, au milieu de l'entrain, de la bruyante gaieté de tous, il se sentit mal à l'aise; l'épigastre était gêné, pesant, douloureux; il se leva de table, fit quelques pas, et, soudain, rejeta avec explosion sur le parquet la masse des aliments et des liquides ingurgités.

Abattu, anéanti, il fut obligé de rester couché jusqu'au lendemain; mais cette indigestion devint fatale. A partir de ce moment, il vomit tous les jours, quoiqu'il ne prît que de légers potages. Les vomissements ne purent être arrêtés, la maigreur fit des progrès rapides, les os devinrent saillants, la peau sèche, jaunâtre, et, après deux ou trois mois, quand il n'y eut plus un atôme de graisse pour alimenter et rafraîchir le sang que la nourriture ne réparait plus, il expira, son corps ayant perdu les deux tiers de son volume et de son poids.

A l'autopsie, on trouva l'ouverture pylorique presque entièrement obstruée; au pourtour, la muqueuse indurée, coriace, et partant incapable de se contracter. Voilà la cause des vomissements. A quoi l'attribuer? A l'abus des mets succulents et des spiritueux d'abord, abus qui se compliqua d'affections morales tristes, et surtout à la gastrite négligée, laquelle trouvant l'estomac disposé aux congestions détermina la production de la lésion organique.

Si on avait combattu énergiquement cette inflammation légère par la diète et les rafraîchissants abondants, prolongés, très-probablement on eût prévenu la catastrophe. On voit tous les jours des gourmets qui ont savouré longtemps les plaisirs de la table, parvenir à quatre-vingts ans, sans

·infirmité aucune; or, le sujet de cette observation avait le sang riche et très-pur; il se trouvait dans les meilleures conditions pour atteindre une belle vieillesse. Mais au milieu des excès, des écarts de régime, le moindre accident peut entraîner des suites graves; les organes échauffés, tourmentés, résistent mal aux troubles fonctionnels; et telle indisposition qui, chez un homme sobre, passera inaperçue, deviendra, dans le premier cas, la cause d'une maladie chronique incurable.

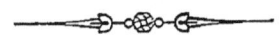

VOMISSEMENT SYMPATHIQUE

Nous avons déjà vu le bien-être et le malaise de l'estomac se communiquer, plus ou moins, à d'autres viscères; de même, la lésion nerveuse ou inflammatoire du cerveau, des reins, de l'utérus et des entrailles, retentit dans le centre épigastrique, trouble la digestion et occasionne le vomissement.

Dans la migraine, les malades se plaignent d'avoir le cœur sur les lèvres : aussi, se gardent-ils bien de prendre de la nourriture ; ils sentent qu'ils la rejetteraient, ayant déjà vomi tous les liquides, les glaires contenues dans l'estomac.

La présence des vers dans l'intestin peut causer des vomissements ; l'inflammation des reins se manifeste par des vomissements douloureux, effrénés ; dans les premiers mois de la grossesse, combien de jeunes femmes ont des nausées et rejettent les aliments ; mais à mesure que la matrice se développe et s'élève au-dessus du bassin, les digestions se rétablissent, et ont bientôt réparé la faiblesse produite par la diète et les vomissements.

Nous avons traité plusieurs dames affectées d'un engorgement utérin, qui vomissaient les aliments. Aussitôt que la congestion a été dissipée, le vomissement n'a pas reparu.

Dans tous ces cas, le vomissement a été l'effet de la sympathie qui règne entre l'estomac et les viscères sus-mentionnés ; c'est pourquoi ils sont dits *sympathiques*.

———

Nous avons passé en revue les diverses sortes de vomissements. Il est facile de comprendre qu'il faut souvent un examen attentif et l'habitude de l'observation, pour discerner toujours à quelle espèce de vomissement on a affaire : s'il est essentiel, spasmodique, s'il est un signe, un phénomène d'une maladie matérielle de l'estomac, ou s'il est produit par la lésion d'un autre organe. L'erreur serait très-préjudiciable, car le traitement de chaque espèce est différent.

RÉGIME

Des médecins prétendent qu'il n'est pas besoin d'un régime particulier pour guérir les névrôses d'estomac, si l'on prend avec soin les remèdes que réclame son état morbide ; d'autres enseignent, au contraire, que, dans ce genre d'affections, les médicaments ne sont guère que des palliatifs, fréquemment inutiles, et parfois dangereux, mais qu'à l'hygiène seule il appartient d'opérer une cure radicale.

Nous avons vu aussi nous-même des gastralgiques à qui le sirop de morphine ou un tonique, donné à propos a fait supporter sans douleur, sans malaise aucun, la nourriture des gens en bonne santé, et qu'il a ainsi dispensés du régime ; et certains autres ont rétabli leurs digestions, sans recourir aux agents pharmaceutiques, en se privant de café, de vin blanc, de légumes et de fruits aqueux, trop rafraîchissants ou acides.

Mais quelques cas particuliers font-ils la règle? N'est-il pas évident qu'un estomac irrité, endolori, exige des aliments doux, aisément assimilables, tandis que la faiblesse demande une nourriture substantielle plus fortifiante?

Quand on interroge les malades, la plupart vous répondent qu'ils souffrent bien davantage s'ils usent de salé, de salade, d'oseille, de groseilles, de choux, de navets, de fèves ou de haricots blancs, etc.; et la douleur, qui ne trompe pas, leur commande de s'en abstenir.

Dans les cas d'éréthisme, d'exaltation de la sensibilité, aux personnes d'un tempérament irritable, d'une organisation ferme et sèche, on conseille les bouillons faits avec le poulet et le bœuf, et trempés avec la croûte de pain, le riz, les pâtes d'Italie ou la farine jaune, les soupes maigres avec les mêmes substances, relevées avec du sucre et un jaune d'œuf; les viandes blanches, bouillies ou rôties, les œufs à la coque, les poissons légers, les fruits et les légumes qui abondent en matières saccharine et féculente, ou du moins qui ne renferment que peu d'eau et de mucilage; et pour boisson des repas, l'eau teinte ou rougie avec le vin vieux.

Le vin nouveau est généralement contraire, à cause de son acidité.

Si le vin, très-dépouillé et étendu, n'est pas supporté, ainsi que cela arrive quelquefois, l'eau sucrée en boisson est la plus convenable.

Quant aux autres substances alimentaires, elles doivent être réservées pour l'atonie nerveuse des organes de la digestion, pour les individus à fibres lâches et molles, d'une constitution apathique. Les plus remarquables sont : les consommés, le gibier, les viandes de bœuf et de mouton rôties, les légumes au jus, en un mot, toutes celles qui fortifient plus que les précédentes. Dans les cas fort nombreux où il est impossible de dire s'il y a éréthisme ou atonie, et où l'on ne voit que la mobilité et l'aberration de la sensibilité, il convient de commencer le traitement par les aliments les plus légers, et de passer ensuite, peu à peu, au régime décidément tonique. Cette marche progressive est même nécessaire dans plusieurs circonstances où la faiblesse du genre nerveux n'est point douteuse, attendu que cette faiblesse s'accompagne souvent d'une telle susceptibilité de l'estomac, que ce viscère ne peut s'habituer que par degrés à la présence des aliments fortifiants.

23

Ainsi, il est beaucoup de cas où il ne convient pas
de commencer par des aliments de cette nature, et
dans lesquels il faut rendre la nourriture de plus
en plus tonique, au fur et à mesure que l'irritabilité gastrique diminue, parce que, en définitive,
l'atonie nerveuse, primitive ou suite de l'éréthisme,
a besoin, pour guérir radicalement, de l'alimentation corroborante.

Nous venons de poser les règles générales ; mais
il ne faut pas croire qu'elles soient sans exception : elles doivent, au contraire, en subir de
nombreuses, suivant l'idiosyncrasie des malades.
Rien n'est absolu en médecine, tout y est relatif,
surtout dans les névroses. Ce qui convient le mieux
à telle personne, est souvent nuisible à telle autre,
bien qu'elles aient toutes deux la même affection
nerveuse. On voit même, à cet égard, des bizarreries incompréhensibles. Un professeur, à qui nous
avons donné des soins, se trouvait bien de manger à souper une salade assez vinaigrée, pourvu
qu'il l'arrosât d'un verre de vin vieux, et il ne
pouvait supporter aucun légume.

Un docteur allemand parle d'une femme qui,
étant atteinte de cardialgie, ne digérait que du
lard, dont elle faisait sa seule nourriture, et au

moyen duquel la guérison s'effectua complétement au bout de six semaines. On pourrait ajouter une foule d'autres exemples, lesquels démontrent que les personnes qui ont des névrôses gastriques doivent étudier leur estomac, et user des aliments qui passent le mieux, sans s'astreindre toujours aux préceptes généraux.

Nous dirons avec Barras : « Le goût, les caprices du malade doivent aussi être pris en considération par le médecin qui dirige le traitement ; et, à moins que son avidité ne porte sur des objets évidemment nuisibles, il n'y a pas d'inconvénient à se rendre à ses désirs ; bien au contraire, des aliments appétés avec ardeur, quoique indigestes de leur nature, passent ordinairement beaucoup mieux que des aliments plus légers, mais pris avec répugnance. L'essentiel est que le gastralgique mange sans crainte ; s'il a peur que telles substances alimentaires lui fassent du mal, il doit s'en abstenir : l'idée qu'elles ne seront pas bien digérées en troublera la digestion. »

Nous avons traité une jeune dame, veuve, qui se plaignait depuis quelque temps de mauvaises digestions. Vivant seule, et ayant tout le temps d'écouter son estomac, elle avait diminué au moins de moitié la quantité de sa nourriture, et, néanmoins, elle ne guérissait pas. De temps en temps elle était invitée dans une famille, y dînait en compagnie de sept à huit personnes ; et là, la conversation, l'entrain des convives l'empêchant de songer à ses malaises gastriques, elle mangeait autant que ses voisins. Tout cela, assurait-elle, ne lui pesait pas une once. Elle avait la coutume de dire que, si elle pouvait dîner tous les jours en pareille société, l'estomac aurait bientôt recouvré sa vigueur.

Le malheur de la gastralgie est qu'aux souffrances physiques viennent se joindre les douleurs morales ; elle jette dans l'abattement, dans la mélancolie ; la tristesse resserrant l'épigastre, on mange de moins en moins, on se contente de laitage, de potages légers, on tremble d'accroître l'*irritation* ; et, chose remarquable, quelques cuillerées de soupe, quelques bouchées d'aliments pèsent, fatiguent, autant qu'un repas copieux, le plus grand nombre des gastralgiques. Mais la diète amène la faiblesse, laquelle augmente la délicatesse des nerfs, aggrave et enracine la névrose d'estomac. C'est ainsi qu'en croyant se soulager, on se rend plus malade.

OBSERVATION

En l'année 1846, le sieur P***, marchand épi-
cier dans un village du département de la Loire,
vint nous demander conseil pour des digestions
laborieuses qui le faisaient souffrir depuis près de
dix ans. Il avait suivi plusieurs traitements, vu
plusieurs médecins; mais le mal avait continué.
« Voilà huit ans que nous sommes mariés, nous
dit sa femme, et il m'a toujours fallu faire deux
ordinaires; je n'ai jamais la satisfaction de dîner
avec mon mari. Mais il prend si peu de chose que
je m'étonne qu'il puisse se tenir debout, et qu'il
soit encore de ce monde. Il lui semblait qu'en
se nourrissant d'un peu de lait, de potages, ou
tantôt d'un œuf à la coque, ou de quelques légumes en très-petite quantité, il parviendrait à
apaiser son *irritation*. C'est plutôt le contraire; car
je l'entends plaindre plus souvent à présent que
dans les premières années. L'épuisement n'a fait
qu'augmenter, et il a à peine la force de faire
quelques pas hors de la maison. »

Comme le malade n'accusait pas de vives douleurs, que sa langue était pâle et humide, nous
conseillâmes de suite une médication et une ali-

mentation fortifiantes. L'une et l'autre furent bien supportées et firent du bien. Après deux ou trois mois, M. P*** fut en état de dîner avec sa femme et ses amis; il cessa de languir, et recommença pour ainsi dire à vivre. Il se trouvait d'autant plus heureux, qu'il s'était cru condamné à se traîner ainsi misérablement le reste de ses jours.

Cet homme n'avait pas abusé des remèdes, ni fait d'écarts de régime. La gastralgie était une atonie franche des fibres de l'estomac; en le fortifiant avec précaution, on rétablit les digestions et dissipa les malaises.

Un jour de l'année 1847, nous reçûmes une femme, âgée de trente-deux à trente-cinq ans, grande et pâle, qui marchait péniblement, appuyée sur le bras de son mari. Ayant fait quelques pas jusqu'au milieu de l'antichambre, elle s'évanouit. Après une demi-heure, étant remise de son indisposition, elle entra dans notre cabinet. « Depuis deux ans, nous dit-elle, je ne puis rien digérer sans tiraillements, sans fatigue, et voilà plusieurs mois que je vis de petits potages au riz :

c'est l'aliment qui pèse le moins; mais il n'a pas suffi pour calmer mon estomac. Il est aussi *irrité*, aussi douloureux qu'au temps où je mangeais de la viande, des pommes de terre, et buvais du vin. Je me sens si faible que, s'il m'arrive de me baisser, la tête me tourne, et j'ai de la peine à me relever. Quand j'ai l'imprudence de lever les bras, on dirait qu'il se détache quelque chose là, de l'épigastre, et que le ventre va s'ouvrir. Mon estomac est ainsi dérangé depuis un accouchement; le docteur crut devoir employer les fers; il me sembla qu'il m'arrachait mon enfant avec violence. A partir de ce moment, j'ai langui, et tous ses remèdes n'ont pu rétablir ma santé. »

Ici encore, il n'y avait pas douleur vive, exaltation de la sensibilité gastrique; de réforme en réforme, la malade avait fini par se nourrir exclusivement de potages au riz, s'imaginant que les substances succulentes devaient l'échauffer, exaspérer les crampes. Nous ordonnâmes d'emblée un régime de plus en plus substantiel, la conserve de roses, le café de glands et les préparations ferrugineuses.

Tout passa assez bien, et ne tarda pas de produire une grande amélioration. Après deux mois, cette femme reprit son travail, depuis longtemps abandonné (elle était ouvrière en soies).

Si la respiration et la circulation du sang ont une permanence indispensable à l'entretien de la vie, il n'en est pas de même de la digestion. Celle-ci est comme les fonctions du cerveau, et d'autres qui, après une action plus ou moins prolongée, ont besoin de repos pour laisser à leurs organes respectifs le temps d'acquérir de nouvelles forces.

C'est pourquoi il convient de manger à heures réglées, de prendre une quantité raisonnable d'aliments, et de ne pas commettre l'erreur de ceux qui continuellement occupent leur estomac en mangeant peu et souvent, toutes les deux ou trois heures.

De deux maux il faut choisir le moindre : au moins on ne risque pas de se délabrer, de ruiner sa constitution, comme fait la diète qui, d'ailleurs, ne saurait guérir.

Il ne faut excepter de cette règle que les cas de vomissements.

Souvent, au moment de se mettre à table, on n'a pas la sensation de la faim, et on croit qu'il est impossible de prendre alors son repas. On se trompe : des gaz distendent l'estomac ; dès qu'on a avalé quelques bouchées, les gaz se dissipent, et l'appétit se réveille.

Il arrive fréquemment que les malades éprouvent un pressant besoin de manger peu d'heures après avoir pris de la nourriture. Il tient à un état spasmodique : c'est une fausse faim que l'on doit supporter, à moins qu'elle soit par trop impérieuse. On la trompe, en buvant de l'eau sucrée, aromatisée avec de l'eau de fleurs d'oranges.

OBSERVATION

A la fin de mars 1848, un étudiant en droit de Grenoble vint nous consulter à Lyon pour divers accidents nerveux. Il prenait trois repas par jour, un faible déjeuner à huit heures, à midi le dîner, et le souper entre sept et huit heures du soir. « Mais une circonstance singulière, nous dit-il, c'est que vers les quatre heures, quoique ayant dîné assez copieusement, je me sens une faim, un délabrement tel que je suis près de tomber en faiblesse, comme si je n'avais rien pris depuis un ou deux jours. Je me vois condamné à *goûter*, comme un écolier de dix à quatorze ans ; c'est avec une

tartine de confitures. A peine quelques bouchées
ont pénétré dans l'estomac, que cette faim, cet
épuisement disparaît comme par enchantement;
et alors je pourrais attendre le souper jusqu'à neuf,
dix heures et même plus tard, sans rien éprouver
de semblable. Je ne sais trop ce qui adviendrait,
si je m'efforçais de résister à ce besoin : à coup
sûr, il me serait impossible de faire une lecture
de toute la soirée, tandis que j'étudie sans peine
encore plusieurs heures. »

La femme d'un commerçant, sujette à ces digestions précipitées, nous disait un jour : « Je crois
que je me trouverais mal, je mourrais peut-être,
si je n'avais des aliments sous la main, quand je
me sens anéantie. Il m'en faut d'ailleurs si peu!
une once ou deux de pain, et le bien-être se rétablit. »

M. le docteur Vignes a cité l'observation suivante : « M. M***, âgé de trente-huit à quarante
ans, doué d'un tempérament nerveux et lymphatique, quoiqu'il parût, par sa figure toujours colorée, d'un tempérament sanguin, d'une constitu-

tion en apparence assez forte, d'une taille un peu
au-dessous de la moyenne, s'était toujours plaint,
depuis l'âge de dix-huit ans à peu près, d'une sensation pénible et parfois douloureuse de la région
épigastrique, de malaises généraux, de brisements
musculaires, de digestions pénibles, souvent précipitées, et souvent suivies d'un besoin impérieux
de manger; il se donnait beaucoup de mouvement dans la commune, où il visitait les malades par devoir et par charité : c'était un ecclésiastique.

« Je lui demandai si ses digestions n'étaient pas
pénibles, longues ou très-précipitées? « J'éprouve
tout cela, me dit-il; et bien des fois il me part de
l'estomac une bouffée de chaleur qui monte assez
rapidement vers la tête, surtout au front, s'accom-
pagnant de sueur froide et de défaillance. Ces angoisses sont cruelles, et ma grande crainte est de
tomber en faiblesse pendant que je remplis un des
offices de mon ministère. Quant aux digestions,
elles sont souvent lentes, pénibles, quelquefois extrêmement précipitées, et suivies d'états singuliers,
comme celui-ci par exemple : un jour que je re-
venais de dîner avec un de mes amis, qui m'a-
vait invité à deux lieues de chez moi, j'éprouvai,

aux deux tiers du chemin, un besoin si irrésistible de manger que mon estomac me faisait l'effet d'être complétement creux ou vide, et que, ne comptant pas sur ma force, pour arriver jusque chez moi, je me décidai à aller frapper à la porte d'une pauvre maison, où j'apercevais de loin de la lumière. Comme on refusait d'ouvrir, je crus que j'allais mourir d'inanition; cependant je recueillis toute mon énergie et je parvins à la porte d'une autre maison dans les champs, où l'on me servit du pain que je dévorai; mais il me suffit des premières bouchées pour que cet appétit si violent fût satisfait; enfin, je me sentis ranimé et j'arrivai au presbytère en assez bon état. »

Certains gastralgiques éprouvent la nuit cette faim que nous venons de signaler; elle interrompt leur sommeil et les empêche de se rendormir : ils sont comme ces malheureux à qui l'inanition réelle ne permet pas de reposer. En ayant soin de tenir quelque aliment léger à leur portée, ils se rassasient en deux minutes, et tout malaise disparaît.

Nous dirons avec Barras que, s'il y a des inconvénients réels à obéir à ce besoin déréglé, quand

il n'est pas impérieux et violent, il y en a aussi
de très-graves à ne pas contenter l'appétit qui
survient aux heures ordinaires des repas, parce
que l'estomac, s'il n'est jamais satisfait, deman-
dera toujours, et la faim continuelle augmentera
considérablement l'intensité de la maladie; l'estomac qui appète la nourriture, agit sur lui-même,
si on ne lui donne pas des aliments à broyer, et il
s'irrite bien plus en travaillant seul qu'en élabo-
rant une quantité modérée de substances alimentaires. C'est là la cause des vives douleurs épigastriques chez ceux que l'on soumet longtemps à un
régime rigoureux.

———————

Les gastralgiques peuvent manger en toute sû-
reté, s'ils ont de l'appétit, sans s'inquiéter de
la gastrite. Les malaises et les pesanteurs à l'épigastre, l'exaspération même des souffrances quelque
temps après les repas, ni les vomissements de matières aqueuses à la fin des digestions, ne doivent
les empêcher de se nourrir, parce que ces inconvénients sont moins grands que la faim continuelle.

Les malades qui n'ont pas faim doivent se borner à une petite quantité de nourriture; mais ils ne doivent pas s'en abstenir tout à fait, à moins qu'ils ne la rejettent aussitôt après son ingestion : pour peu que quelque aliment soit supporté, une légère alimentation est plus avantageuse, même dans le cas d'inappétence, que la diète absolue. Le besoin de manger est-il, au contraire, porté au plus haut degré, comme dans la boulimie, gardez-vous de la satisfaire entièrement; des indigestions journalières, l'accroissement de la maladie et de graves accidents en seraient les suites inévitables.

Certains malades guérissent en buvant à la glace, et en mangeant froids tous les aliments qui en sont susceptibles, pendant que d'autres se trouvent bien de boire et de manger à la température ordinaire; quelques-uns sont soulagés en prenant les aliments et les boissons plus chauds que de coutume. Il y en a plusieurs chez lesquels il convient de les faire prendre tièdes dans les temps de douleurs, et froids pendant les intervalles des accès, tandis qu'on voit le contraire chez quelques autres.

Il y a des médecins qui conseillent aux gastralgi-

ques de varier leurs aliments, de les essayer les uns
après les autres, pour accoutumer l'estomac à tous
ceux qu'on a l'habitude de prendre en bonne santé ;
mais nous voyons si souvent des névrôses gastriques s'aggraver et récidiver par ces variations et
ces essais, qu'il nous est impossible de les approu-
ver. L'impossibilité de prendre telle substance alimentaire, sans en être plus ou moins incommodé,
a lieu chez des personnes qui se portent bien, et,
à plus forte raison, chez celles qui sont atteintes
de la sensibilité morbide des premières voies. Aussi,
avons-nous rencontré des gastralgiques qui regret-
taient vivement d'avoir insisté sur l'ingestion d'a-
liments pour lesquels leur estomac avait de l'antipathie. Vouloir forcer cet organe à s'accommoder
de toutes les substances alimentaires, c'est exposer
les malades à de graves inconvénients ; la nature
n'obéit pas si facilement qu'on le croit aux ordres
des médecins : il est souvent plus sage de respecter
ses caprices, que de chercher à les vaincre.

Ce n'est pas que les gastralgiques doivent toujours prendre les mêmes aliments : ils peuvent, au
contraire, les varier, pourvu qu'ils s'abstiennent de
ceux qui leur sont évidemment nuisibles. Il faut
même les changer lorsque, par une des bizarreries

si communes aux affections nerveuses des premières voies, les malades qui s'étaient bien trouvés
de telle substance, ne la supportent plus; mais ce
n'est point une raison pour s'écarter de la classe
des aliments les plus généralement utiles aux personnes atteintes de ces maladies : elle est assez
nombreuse pour se prêter aux différentes modifi-
cations que l'on peut être obligé de faire subir au
régime. On ne doit sortir de cette classe que quand,
par l'effet d'une autre bizarrerie incompréhen-
sible, les malades se trouvent mieux des substances indigestes, atoniques ou stimulantes, qui
ne conviennent point à la plupart des individus affectés de névrôses gastriques. A l'exception
de ces cas, dans lesquels on est obligé de s'éloigner de la règle générale, pour obéir aux fan-
taisies de la nature, les gastralgiques ne doivent
prendre que les aliments doux, légers et substantiels, dont nous leur avons conseillé l'usage; ils
doivent insister longtemps sur ce régime, des mois
et même des années entières, si la maladie date
de loin, sous peine de la prolonger à l'infini, et
d'éprouver des rechutes qui retardent toujours la
guérison définitive. «Les personnes, dit Johnson,
qui ont échappé aux misères de la dyspepsie, et

rendu à leur estomac son état naturel, au moyen
d'une grande attention dans le régime, doivent
prendre garde de l'abandonner trop tôt, car rien
n'est plus facile que de retomber dans cette maladie
par des écarts de table. »

Le docteur Barras a écrit : « La plupart des
guérisons ne sont dues qu'au régime, et elles s'ef-
fectueraient sans le concours de la matière médicale. » Et ailleurs : « Les médicaments ne sont
pas seulement superflus dans une foule de gastro-
entéralgies, ils y sont encore nuisibles. Dans les
névrôses gastriques, les agents médicinaux font
souvent plus de mal que de bien ; leur principal
avantage ne consiste qu'à ramener ces névrôses à
leur état de bénignité ou d'indolence, quand elles
s'en sont écartées, et il n'appartient qu'au traitement hygiénique de les guérir d'une manière
complète. On ne voit donc pas la nécessité, lorsque ce traitement suffit pour rétablir les malades,
d'employer des médicaments qui nuisent à un
grand nombre d'entre eux, et dont le moindre inconvénient est d'être superflus. »

Voilà quelle était l'opinion de Barras, et cette

24

opinion fait autorité auprès d'un grand nombre
de médecins. Pour nous, nous n'hésitons pas à
dire que ce docteur était dans l'erreur : il a découragé ses confrères, en leur persuadant que les
médicaments sont habituellement inutiles, et quelquefois pernicieux ; il a favorisé la paresse, et,
depuis, beaucoup se contentent de prescrire des
aliments et des distractions, assurant que, s'ils ne
s'occupent pas de leurs malaises gastriques, les
malades ne tarderont pas d'en être délivrés.

Si la gastralgie réclame souvent un régime, elle
réclame souvent aussi des remèdes. Nous avons
entendu une foule d'individus se plaindre de digestions laborieuses, tout en usant d'une alimentation douce, analeptique et substantielle. Beaucoup d'autres étaient obligés de s'en tenir à une
nourriture plus légère, sentant bien qu'ils s'expo-
seraient à des indigestions, à aggraver la faiblesse
de leur estomac, s'ils osaient prendre habituellement des viandes et autres mets succulents. Mais
les faits parlent plus haut que tous les raisonnements.

Puisque le docteur Barras ne croyait plus à l'efficacité du fer, du quinquina, qu'il avait préco-
nisés longtemps, pourquoi ne les avoir pas ré-

pudiés dans sa pratique, et n'avoir pas conseillé
de les rejeter également?

OBSERVATION

A la fin de l'hiver 1850, madame M***, propriétaire à la Croix-Rousse, faubourg de Lyon, nous
fut adressée par un plâtrier-peintre de la même
commune, que nous avions eu la satisfaction de
guérir d'une gastralgie hypocondriaque, datant
de douze années. Cette femme languissait depuis
les funestes journées d'avril 1834. Le bruit de la
fusillade et du canon qui résonnait alors dans les
rues de Lyon et sur le plateau de la Croix-Rousse,
l'avait épouvantée, comme il en avait épouvanté
bien d'autres. Les habitants d'une ville de cent
cinquante mille âmes s'étaient vus séquestrés, pendant six longs jours, dans leurs maisons fermées,
les oreilles ébranlées par les coups de feu et la
canonnade, sans renseignements du dehors, sans
nouvelles de leurs parents et amis, les soldats
ayant reçu la consigne de tirer sur toute figure
humaine qui se montrerait dans les rues ou même
aux croisées ouvertes.

Madame M*** avait passé les premiers jours en
prenant deux ou trois tasses de bouillon : un ser-

rement douloureux à l'épigastre l'empêchait de digérer aucun autre aliment.

Plus tard, les digestions ne se rétablissant pas, elle invoqua les secours de la médecine, suivit sans succès plusieurs traitements; puis, épuisée par la diète, le chagrin et la douleur, elle resta alitée pendant six mois; ensuite, l'estomac fut peu à peu en état de supporter des aliments un peu substantiels, et elle recouvra assez de forces, non pour vaquer à ses occupations, mais pour se promener, prendre quelque exercice. Elle avait consulté aussi l'homéopathie, avalé ses prises un certain temps, qui avaient été impuissantes.

Ayant perdu l'espérance de la guérison, elle renonça à tous les remèdes, mais sans s'écarter en rien du régime très-minutieux et succulent qu'avait prescrit le disciple d'Hannemann.

Chaque repas était lourd et entraînait les symptômes ordinaires de la gastralgie invétérée. C'était un *statu quo* déplorable. Faible, maigre, le regard triste, elle s'impatientait, était près de s'emporter à la contrariété la plus légère. Elle sentait bien qu'elle avait besoin de quelque remède pour donner du ton à son estomac allangui : il n'y avait plus de constriction, l'état spasmo-

dique avait disparu depuis longtemps, mais c'é-
tait une débilité, une atonie peu commune des organes digestifs.

Nous conseillâmes à chaque repas une pastille,
puis deux, puis trois pastilles de chocolat martial;
bientôt elle atteignit le nombre de douze à quinze
par jour, contenant vingt-cinq à 30 grammes de
cacao, et 2 grammes de sous-carbonate de fer;
plus tard, nous ajoutâmes du café de glands après
le dîner, et un opiat à l'écorce du Pérou, ayant
soin de graduer la dose, de manière à éviter toute
sensation pénible à l'organe affecté.

Le mieux fut sensible, après la première huitaine, et, au bout de deux mois et demi, madame M*** nous disait : « J'étais ci-devant comme
les vieillards, dont chaque année diminue les
forces, mais à présent je sens bien que je retrouve
mon ancienne énergie. On m'aurait donné dix ans
de plus que mon âge; maintenant, je semble ra-
jeunir, je renais pour ainsi dire; les pastilles de
ce chocolat développent l'appétit; chaque fois
que j'en mange, la faim loin de diminuer augmente; de fait, je prends plus d'aliments, ils me
fatiguent beaucoup moins, et ils profitent. Je fe-
rais aisément une lieue à pied tout d'une haleine;

j'ai meilleur visage, et cette tristesse désespérante ne vient plus m'éloigner des personnes joyeuses et de bonne humeur. Je crois que de nouvelles émeutes me trouveraient moins impressionnable.»

À moins de fermer les yeux à la lumière, de s'aveugler volontairement, il est impossible de nier que cette guérison fut due aux remèdes, aux toniques administrés pour resserrer et fortifier les fibres de l'estomac. Le régime était le même que celui observé depuis des années, et le soulagement ne se montra que du jour où l'on eut recours aux médicaments désignés plus haut.

Au reste, cette observation n'est point un fait exceptionnel; elle ressemble à beaucoup d'autres. Et quand bien même une alimentation choisie suffirait d'ordinaire pour activer la digestion et la rendre normale, on aurait tort de négliger les remèdes qui accélèrent la cure. Tant de malades, artisans et campagnards, sont hors d'état de se procurer les aliments reconnus nécessaires! les consommés, les viandes ne sont pas à la portée de tout le monde; et bien des malades seraient condamnés à souffrir de l'estomac la vie entière, si.

la nourriture qui convient à l'atonie nerveuse était toujours de rigueur.

OBSERVATION

En 1847, nous reçûmes au cabinet un militaire, chef de bataillon, en garnison à la Guillotière (Rhône). C'était un homme de cinquante ans, d'une taille moyenne, mais bien prise, de bonne mine, avec tous les dehors d'une brillante santé, et pourtant il accusait les symptômes d'une gastro-entéralgie. Une heure ou deux après le dîner, il se manifestait à l'épigastre un gonflement doulou-reux qui l'obligeait à déboutonner tunique et pan-talon; alors le cerveau était lourd, embarrassé, les yeux fatigués, inquiets. Il y avait lassitude, apa-thie générale, avec impatience, irascibilité, et il se trouvait bien malheureux.

Ce militaire avait passé nombre d'années en Algérie, y avait fait plusieurs campagnes, et hors les premiers mois où il avait payé tribut au climat par une dyssenterie et quelques accès de fièvre in-termittente, il s'y était constamment bien porté, malgré les privations et la chaleur dévorante du soleil africain. Ce n'est qu'après son retour en France, en menant la vie monotone et oisive de

garnison, qu'il avait éprouvé les malaises gastriques, au milieu de la sécurité et des douceurs de
la paix, délivré des préoccupations qui tiennent
l'esprit en éveil dans un pays ennemi, malgré un
régime doux, substantiel, suivi régulièrement, et
tout en se privant de café, de liqueurs et de choses
nuisibles à l'estomac.

Ici qu'aurait fait M. le docteur Barras? aurait-
il proscrit les médicaments, pour se contenter de
l'alimentation dont le malade usait déjà? Mais il
aurait achevé de le décourager, en lui persuadant
qu'il n'y avait pas de remède, de guérison pour
lui; car un régime, suivi en vain pendant une
année, n'opèrera rien de plus l'année suivante.

Aurait-il cherché à détruire la cause en ren-
voyant le commandant faire la guerre aux Arabes
du désert ou aux Kabyles des montagnes?

Notre conduite fut différente et mieux du goût
du patient. Tout en lui recommandant de faire
beaucoup d'exercice et de ne jamais rester dans
une oisiveté absolue, nous eûmes recours aux électuaires toniques, à haute dose, et après quinze à
vingt jours, le malade se réjouissait de l'effet du
traitement. Après deux mois, il nous disait, plein
de reconnaissance : « Vos remèdes m'ont guéri du

ballonnement et des renvois ; on me trouve à présent beaucoup moins triste, et je m'aperçois en
effet que j'ai recouvré ma bonne humeur, ma gaîté
d'autrefois. Après le repas, je me sens dispos, et
sans crainte de reprendre ces douleurs inquali-
fiables qui empoisonnaient toutes mes soirées. »

Les guerres de la République et de l'Empire auraient usé des hommes de fer. En ce temps-là, une
armée entrait en campagne au milieu de l'hiver
aussi bien qu'au printemps : aussi les maladies
éclaircissaient les rangs des bataillons non moins
que les boulets et les balles. Néanmoins, on voyait
de jeunes hommes, une fois rompus aux fatigues,
habitués aux privations de tous genres, braver impunément l'intempérie des saisons, et ne jamais
figurer dans les hôpitaux. Et après nombre d'années de cette vie d'abnégation et de dangers, ayant
vu cent fois la mort autour d'eux, ils rentraient
sains et saufs dans leurs familles.

Plus tard, alors qu'ils n'avaient plus, comme
on dit, qu'à se reposer à l'ombre de leurs lauriers,
quelques-uns, surtout parmi les officiers que leur
pension ou leur fortune particulière dispensait du

travail, commençaient à sentir leur estomac ; leurs digestions devenaient laborieuses, et les rendaient sensibles aux moindres émotions.

Le vent du sud, de l'ouest, leur ôtait toute énergie ; une tasse de café, deux verres de vin blanc leur donnaient sur les nerfs. En un mot, il leur fallait soigner leur santé, ils étaient douillets, pusillanimes comme de petites maîtresses.

A quoi attribuer un tel changement ?

A la transition brusque d'une vie très-active au désœuvrement. L'inaction amollit, énerve ceux particulièrement qui exerçaient beaucoup leurs fibres musculaires.

La nature se venge par la douleur si nous rompons soudain avec nos habitudes. Or, l'estomac est chargé d'exprimer la souffrance de tous les organes de l'économie ; c'est une viscéralgie générale, un désordre de fonctions qui vieillit avant l'âge et équivaut à toutes les infirmités ; et c'est ainsi que la paix a usé vite bien des guerriers qu'avaient respectés les batailles.

OBSERVATION

Nous avons connu un ancien colonel de chasseurs en proie à toutes les misères de la gastralgie.

Affligé autant qu'indigné d'avoir à subir des douleurs, tous les jours renaissantes, il se plaignait à
son médecin, docteur expérimenté, qui lui recommandait l'exercice et le régime : « Le régime, s'é-
criait-il, mais je ne l'ai jamais aussi bien observé.
Je déjeune et je dîne avec une ponctualité toute
militaire, je me prive de toutes les choses que vous
appelez indigestes et irritantes; sobre, marié, je
m'abstiens de tout excès, des écarts de tout genre,
et vous ne me voyez pas moins souffrir de ces mille
malaises jadis inconnus.

« Un soldat en campagne se réveille sans trop
savoir à quelle heure et dans quel lieu il pourra
trouver à manger, et souvent la nuit est venue
avant qu'il ait eu le temps de prendre sa ration. Le lendemain, il recommence la même vie
et il n'en est pas plus malade. En Égypte, et
plus tard en Espagne, nous rôtissions dans les
longs jours d'été; parfois nous aurions donné
tout ce que nous possédions pour une écuel-
lée d'eau. J'ai vu de mes hommes tomber dans
une marche pour ne plus se relever, dévorés de
soif; en arrivant auprès d'un ruisseau, d'une
fontaine, on se jetait dedans pour se désaltérer
plus vite.

« En Russie, j'ai couché nombre de nuits dans la
neige, pressé contre des camarades dont le contact
me réchauffait. Hélas ! plusieurs d'entre eux ne se
réveillaient plus : la faim et le froid les avaient
tués ; ils restaient étendus, gelés, marquant le lieu
du bivouac. On se remettait en marche : aussitôt
qu'un cheval s'abattait de fatigue et d'inanition,
une centaine de faméliques accourait tout autour ;
chacun arrachait un lambeau du cadavre palpi-
tant ; puis le passant à la flamme, le déchirait encore saignant pour assouvir une faim d'*enragé* ;
et là-dessus on buvait un peu d'eau glacée, d'eau
de neige : heureux à qui il restait un peu d'eau-
de-vie !

« J'ai été là et j'en suis revenu avec un estomac
d'autruche , sans rhumatisme et sans indisposition. Et aujourd'hui, retiré dans mes terres, au
milieu du repos et de l'abondance, je ne puis jouir
ni de l'un ni de l'autre. Je crois qu'une bonne
campagne me débarrasserait de tout, et me rendrait
un peu de mon ancienne vigueur. Après les repas,
je ne sentirais plus cet abattement, cette morosité
qui me rend à charge à moi-même et aux autres. »

Le malade s'arma de patience et fut plus docile
aux prescriptions. Une fois la semaine, il allait

passer un jour dans la ville voisine, à quelques
lieues de là. Il visitait souvent plusieurs retrai-
tés, anciens compagnons d'armes, avec qui il
s'entretenait des grandes choses exécutées ensemble. Il faisait du jardinage avec son jardinier,
taillait ses vignes et prenait goût à l'agriculture.
Au temps de la chasse, il parcourait les champs
comme un rude fantassin, et s'il était moins terrible pour le gibier qu'il n'avait été aux mame-
loucks et aux Allemands, il faisait du moins pro-
vision de santé et d'appétit.

A ce régime, on ajoutait l'usage de remèdes
fortifiants : c'était un petit verre de vin de quinquina, une infusion de menthe, en guise de thé,
après le dîner.

Peu à peu l'estomac fonctionna d'une manière
normale, tout rentra dans l'ordre; et le vétéran
avait la coutume de dire qu'il était plus facile de
sabrer un ennemi que de se délivrer d'une maladie chronique.

———

Dans ce cas, l'hygiène et l'alimentation au-
raient-elles été suffisantes? Il paraît certain que
les médicaments eurent au moins l'effet d'accélérer la guérison, et de nourrir l'espérance de ce

malade naturellement vif et impatient, comme le
sont d'ailleurs la plupart des gens qui souffrent
des nerfs et de l'estomac.

L'art perd son prestige quand il s'abstient des
agents médicinaux ; et dans les lésions où le moral est compromis, il faut savoir parler à l'imagination. Souvent des pilules de mie de pain ont
contribué à guérir des hypocondriaques. Or, dans
les névrôses gastriques, il y a toujours plus ou
moins d'hypocondrie. Cette foi aux remèdes ne
sert-elle pas à expliquer certaines cures de l'homéopathie, qui fait dépendre le salut d'un malade
de l'exactitude à avaler religieusement des prises
mystérieuses et sans nom ?

Nous donnions des soins à une dame d'un âge
mûr qui se trouvait bien du chocolat ferrugineux.
Quand nous lui annonçâmes qu'il était temps d'en
cesser l'usage, elle fut pleine de frayeur : elle allait *retomber* bientôt, nous assurait-elle désespérée ; elle voulait continuer ce remède bienfaisant !
Nous cédâmes, et elle continua à manger des pastilles de chocolat, mais de chocolat ordinaire,
qu'elle croyait semblable au premier. La gastralgie ne reparut pas, et madame ne manqua pas
de se louer beaucoup de ce dernier chocolat qui

l'avait empêché, disait-elle, d'être assaillie de nouveau de tous ses malaises passés.

Nous avons traité un certain nombre de négociants retirés des affaires, lesquels, depuis le jour où ils avaient dit adieu à la marchandise, avaient senti leur santé décliner avec leurs forces, et se plaignaient surtout du trouble des digestions avec des symptômes hypocondriaques.

Ils avaient été impatients de jouir du repos, d'une fortune acquise laborieusement, et, au lieu du bonheur qu'ils espéraient, ils n'avaient trouvé que l'ennui, l'ennui, le bourreau des gens oisifs, qui les tourmentait tout le long du jour; et cette cause, jointe à l'oisiveté, leur avait ôté l'appétit et ralentissait toutes les fonctions. Chez ces malades, la gastralgie s'accompagne fréquemment d'engorgement du foie, et la constipation se complique bientôt des hémorrhoïdes.

Si l'on ne vient pas combattre de bonne heure les désordres primitivement fonctionnels, ils ne tardent pas de devenir organiques, partant incurables, et, après peu d'années de langueur et de mélancolie, les patients disparaissent du milieu de la société, et vont *goûter* le repos de la tombe.

Dans les grandes villes, on est souvent à portée de remarquer les tristes effets de ce changement d'habitudes, de l'inaction absolue succédant à une vie très-occupée.

Le marchand, l'industriel qui approche la soixantaine n'a plus le même goût pour faire le trafic et thésauriser. Il croit le moment venu pour se délasser de ses travaux, et il se dispose à céder sa maison. Une révolution, des émeutes, la faillite d'un correspondant décident quelques-uns à s'en défaire plus tôt qu'ils ne l'avaient résolu.

« On n'aura plus à s'enquérir de la hausse et de la baisse, à s'inquiéter d'une vente hasardée, à s'affliger si une perte inattendue vient enlever en un instant les bénéfices de plusieurs mois ; il est bien temps d'être heureux après vingt-cinq ans de fatigues et de servitude ! »

Ainsi raisonnent ceux particulièrement qui se dégoûtent avant l'âge du tracas des affaires. Ils vident les lieux avec empressement, comme pour aller jouir d'un bien-être inconnu. Durant les premiers jours, ils exaltent les douceurs de la liberté ; mais cette liberté, le *far niente* qu'ils n'ont pas pratiqué de bonne heure, n'a pas longtemps des charmes.

A peine quelques semaines sont écoulées, et ils ne peuvent se défendre d'une certaine inquiétude. Ils iront visiter leur maison des champs, et après huit jours on les voit envier le sort de leur jardinier, qu'ils entendent fredonner en sarclant ses carrés ou cultivant ses fleurs. La solitude leur pèse ; le silence et l'isolement accroissent leur mélancolie, et ils ne peuvent bientôt plus se souffrir dans leur *villa*, où ils avaient rêvé de goûter le bonheur et la paix, et qu'aujourd'hui ils qualifieraient volontiers de *thébaïde*, parce qu'elle leur paraît un séjour de tristesse et d'ennui.

Rentrés en ville, ils sont impatients de revoir leur vieil ami, le magasin.

Si le nouvel occupant a cru devoir, comme c'est assez la coutume, faire quelques mutations dans la disposition du local, voire même des embellissements, le vétéran s'en afflige. « Les jeunes gens, murmure-t-il tout bas, ne savent pas se contenter de ce qui a suffi à leurs prédécesseurs. » Il ne déride son front qu'en recevant les compliments qu'aura laissés à son adresse un de ses anciens correspondants, venu en son absence, et surpris de ne pas le trouver à sa banque ou à son comptoir.

25

L'ex-négociant veut savoir comment vont les affaires depuis qu'il les a quittées, si la commande ou la vente donne comme par le passé, si la maison n'a pas perdu de ses clients en changeant de patron, etc. Tous ces détails l'intéressent, et il lui semble rentrer dans son élément.

Mais autre chose est d'être spectateur, autre chose d'être directeur d'un commerce que l'on gouverne depuis longues années.

Il retourne au logis avec le regret de n'être plus rien, d'avoir perdu ce qui était sa vie, de ne plus posséder le lieu où il puisait l'aliment de ses facultés et de véritables jouissances.

Pour tuer le temps, il va flâner dans les promenades publiques, se trouvant comme dépaysé, tout confus de son nouveau rôle ; puis il se retire lourd, triste et sans appétit.

Les aliments pèsent, occasionnent des douleurs gastriques, une lassitude générale, en augmentant le dégoût de la vie. Le teint perd de sa fraîcheur, le sang engorge les viscères, et des infirmités inconnues jusqu'alors achèvent de démoraliser l'individu.

Eh bien ! contre cette gastralgie de cause particulière, contre cet état morbide physique et moral, doit-on se contenter de l'alimentation et des soins hygiéniques? Autant vaudrait alors abandonner le patient à ses douleurs et le déclarer de suite incurable. Ces rentiers ne commettent point d'écarts de régime, ils prennent de l'exercice, respirent un bon air et n'en souffrent pas moins.

Il faut avant tout remonter à la cause et la combattre par tous les moyens, persuader au malade qu'il doit faire pour sa santé et son bien-être ce qu'auparavant il faisait pour sa fortune, se créer des occupations en harmonie avec son âge, ses goûts et ses dispositions naturelles.

A-t-il de l'instruction? Il doit cultiver les lettres, s'adonner à la lecture une ou deux heures par jour; il liera connaissance avec quelques personnes de son bord, avec qui il sera libre de causer à son aise négoce, politique, etc.

A la campagne, il s'occupera d'agriculture, prendra part aux travaux du jardinage, aux semis, aux plantations et à la greffe des arbrisseaux.

De temps en temps, il réunira des amis, et aura soin de changer fréquemment de lieu, d'aller de la campagne à la ville et de la ville à la campagne, afin de varier ses occupations et de prévenir le dégoût; en un mot, il fera tout pour éviter son ennemi, l'énervante oisiveté.

Puis, si l'estomac fonctionne péniblement, le docteur prescrira avec avantage les remèdes que réclamera l'état des organes, et en particulier les eaux minérales, parmi lesquelles il y a un choix à faire.

Le corps oubliera insensiblement ses anciennes habitudes, et, se trouvant bien de son nouveau genre de vie, il recouvrera la santé et sa vigueur perdue.

RÉFLEXIONS

Nous avons exposé les nombreux symptômes de la gastralgie, ses causes variées et les divers remèdes qu'elle réclame.

À côté du précepte, nous avons placé l'exemple : partout les guérisons viennent à l'appui de notre manière d'envisager la maladie.

Nous avons insisté particulièrement sur l'usage des toniques, parce que l'expérience nous a appris qu'ils sont indiqués dans le plus grand nombre des cas ; mais le difficile pour le praticien est de savoir à quel moment et surtout à quelle dose il convient de les administrer.

En général, il importe que l'estomac si impressionnable du névralgique ne sente point le médicament, que la langue reste humide, sans devenir sèche et irritée ; et alors on peut continuer sans crainte, et on n'agira pas inutilement, quand bien même on n'en supporterait dans la journée que cinq à dix centigrammes, pourvu qu'on augmente graduellement cette dose, de manière à atteindre un ou deux grammes dans les vingt-quatre heures. C'est alors qu'on remarque une amélioration sensible, amélioration qui marche parfois avec une rapidité surprenante.

Tel malade qui s'est présenté dans votre cabinet avec une physionomie sans expression, les traits morts, profondément découragé, revient bientôt métamorphosé pour ainsi dire : il a le regard vif, les lèvres colorées, et une gaieté expansive a succédé à sa mélancolie habituelle. Il lui semble qu'un sang nouveau circule dans ses veines et donne à ses organes une vigueur inconnue ; le ton de sa voix, ses gestes, sa démarche, tout en lui annonce un surcroît de vitalité et le contentement intérieur.

OBSERVATION

Au commencement de l'automne 1849, madame G***, propriétaire à Chaponost, près Lyon, vint nous demander conseil. C'était une femme de quarante-trois ans, d'une taille élevée et d'une complexion assez robuste ; mais sa maigreur, sa tristesse et sa figure jaunâtre étaient bien propres à inspirer la pitié.

« Depuis plus d'un an, nous dit-elle, je suis prise tous les soirs d'une névralgie dentaire : c'est une douleur lancinante, souvent intolérable, qui me fait pousser des gémissements pendant quatre à cinq heures de la nuit. J'ai les dents bonnes ; il n'y paraît rien ; néanmoins, je souffre au côté droit de la mâchoire inférieure de manière à invoquer la mort : on dirait que la moitié du crâne se trouve en ébullition.

Plusieurs docteurs m'ont prodigué leurs soins et m'ont fait avaler bien des remèdes, surtout des pilules de sulfate de quinine : cette dernière substance m'a beaucoup irritée. Hélas ! tous leurs efforts ont été infructueux !

« Faut-il s'étonner que la privation de sommeil et cette douleur affreuse aient détruit mon embonpoint, ruiné mes forces, et qu'elles me tiennent dans cet état d'inquiétude et d'angoisse où vous me voyez ?

« Combien je vous devrais si, plus heureux ou plus habile, vous parveniez, sinon à me guérir entièrement, au moins à me soustraire en partie aux tourments de ce long martyre !

« La vie, qui est si fragile pour quelques-uns, est bien tenace pour d'autres. Je ne comprends pas comment il est possible de résister ainsi à des souffrances de tous les jours, depuis si longtemps répétées. »

Cette malade avait la langue épanouie, comme boursoufflée, humide et d'un rose pâle, symptôme infaillible de gastralgie. Elle avoua en effet que sa digestion était longue, pénible, les selles rares ; mais elle n'avait rien dit de ses malaises gastriques, parce qu'ils ne lui semblaient rien en comparaison des tortures de la face. Or, de nombreuses observations nous ont convaincu de ce qui a été démontré plus haut, savoir, que le trouble des digestions occasionne fréquemment des douleurs dans des parties éloignées, douleurs purement sympathiques, et qui ont leur point de départ dans le ventricule. Aussi, sans nous préoccuper en aucune façon de la névralgie dentaire, nous conseillâmes un régime analeptique, dont on devrait user avec mesure, et, avant chaque repas, une cuillerée à café d'un électuaire fortifiant, avec la recommandation d'en doubler, tripler même la quantité, s'il ne pesait ni n'irritait, s'il ne donnait point soif, etc.

Après huit jours, nous revîmes madame G*** ; son teint s'était éclairci, elle marchait avec moins de peine. Elle sourit en nous abordant, et nous témoignant sa satisfaction : « Je suis vraiment sortie du *purgatoire*, nous dit-elle ; maintenant je vois approcher sans crainte l'heure qui ramenait la fatale douleur ; elle passe à peu près inaperçue. Le sommeil est assez bon, l'appétit a augmenté, et les aliments sont à peine sentis. Je suis bien consolée et déjà toute heureuse. »

A chaque visite, le mieux se lisait sur le front, dans la physionomie ; et après cinq ou six semaines, délivrée de toutes ses douleurs et digérant bien, elle avait retrouvé ses forces. Ses yeux naguère si mornes avaient repris leur éclat, les joues arrondies avaient leurs couleurs normales ; l'ex-malade savourait avec délices le bonheur de la paix, de cette santé dont il faut avoir été privé et qu'il faut avoir cherché longtemps, pour l'apprécier à sa juste valeur.

Peu après, elle accompagna dans notre cabinet son jeune fils, qui se plaignait de quelques malaises causés par une croissance trop rapide, et plus tard une de ses parentes, qui avait aussi besoin de quelques conseils ; et chaque fois madame G*** s'applaudissait du résultat de notre traitement ; elle admirait surtout combien notre *médication* est agréable, comparée aux potions et aux breuvages usités, si répugnants d'ordinaire.

La guérison de cette névralgie dentaire par un traitement anti-gastralgique, démontre la nécessité de remonter toujours à la cause du mal pour le combattre avec succès, et ne point risquer de batailler contre un symptôme qui résiste alors aux moyens les mieux indiqués.

Dans les névralgies essentielles, on administre d'ordinaire les calmants, les narcotiques à l'intérieur et à l'extérieur, puis on a recours aux révulsifs, sinapismes, vésicatoires à la nuque ou sur les membres ; ensuite, on dérive sur le tube intestinal par des laxatifs répétés.

Dans le cas signalé plus haut, tous ces remèdes avaient été prescrits inutilement ; et, considérant la périodicité de la douleur, on avait ordonné enfin le sulfate de quinine, lequel, venant stimuler de plus en plus la muqueuse stomacale, exaspéra la névralgie dentaire causée par les mauvaises digestions.

LA CONSTIPATION

MOYENS D'Y RÉMÉDIER

La constipation est une incommodité qui fatigue bien des personnes menant une vie sédentaire ou usant d'une alimentation échauffante. Le manque d'exercice affaiblit et ralentit toutes les fonctions; de là, paresse des intestins qui ne se débarrassent que de loin en loin des matières accumulées. Leur séjour prolongé s'accompagne d'une chaleur dans les entrailles, laquelle se communique de proche en proche à l'estomac et jusqu'au cerveau, fait naître la soif, diminue l'appétit, cause des pesanteurs de tête et d'autres symptômes qui obligent à recourir aux évacuants.

Les neuf dixièmes des gastralgiques se plaignent de constipation : chez eux les selles rares, laborieusement excrétées, sont un effet de la len-

teur et des malaises du travail digestif : néanmoins, quelques-uns sont persuadés que si leurs
fonctions du ventre s'exécutaient facilement, ils
ne souffriraient plus à l'épigastre. Erreur! car
leurs douleurs d'estomac ont précédé la constipation, et quand leur digestion est normale, les
selles ne tardent pas de le devenir. S'ils provoquent des évacuations au moyen de clystères, un
nouveau repas amène encore de nouveaux accidents gastriques; l'intestin ne jouit pas du pouvoir de corriger la faiblesse du ventricule ou la
perversion de la sensibilité; et ne voit-on pas tous
les jours des gens se plaindre de mauvaises digestions, quoiqu'ils aillent sans fatigue à la garde-
robe?

Mais si la constipation ne produit pas d'ordinaire la gastralgie, il n'est point douteux qu'elle
contribue à l'entretenir et qu'elle peut quelquefois
empêcher sa guérison. C'est pourquoi il importe
de chercher à la combattre.

Dans ce but plusieurs moyens sont proposés.

LAVEMENTS

Les lavements émollients de mauve, de gui-

mauve, de graines de lin, et autres du même
genre, réussissent, particulièrement quand on n'en
a pas l'habitude, à provoquer une selle facile, et
remédient ainsi aux symptômes, à la chaleur d'entrailles, aux pesanteurs d'estomac, aux étourdissements, etc. Mais en vidant l'intestin de cette
manière, en l'inondant de ces liquides, on n'augmente point son activité, sa puissance de contraction : bien au contraire, en le ramollissant,
on l'affaiblit davantage, et partant on accroît la
prédisposition à la constipation et aux maladies
des nerfs.

Il importe donc de ne point s'accoutumer à
ces moyens palliatifs, à cause des inconvénients
qu'entraîne leur usage fréquent et prolongé. On
doit y recourir pour les besoins du moment, les
éloigner autant que faire se peut, parce qu'un
clystère appelle un autre clystère, et qu'au lieu
de prévenir le retour de la maladie, ils tendent à
l'éterniser.

Si les gastralgiques ont de la répugnance pour
les boissons, comme il a été dit plus haut, leur
intestin ne s'accommode pas mieux des liquides
adoucissants. Ces derniers occasionnent des vents,
des coliques, et leur abus peut entraîner même

la tympanite : tout ce qui produit l'atonie de l'appareil digestif est évidemment contraire à son affection nerveuse. Aussi, invitons-nous les malades à n'user d'abord que de demi-lavements, à choisir le bouillon de tripes, de fraise de veau, de préférence aux décoctions mucilagineuses et autres, à les prendre froids plutôt que chauds ou tièdes; à quelques-uns nous ne tolérons en lavement qu'un demi-verre d'eau froide, et pour ceux qui ont l'habitude des clystères, nous ne voulons que de l'huile d'amandes douces, deux ou trois onces à la fois.

On ne saurait trop faire pour ne pas se voir condamné à la servitude des lavements.

OBSERVATION

Nous avons connu une dame de soixante-dix ans, laquelle, depuis trente ans, n'avait pas laissé écouler deux jours sans s'injecter un ou deux clystères.

Dans la belle saison, elle avait la coutume d'aller de temps en temps passer quelques jours à la campagne, auprès d'une de ses nièces. Avant de partir, son premier soin était de placer au fond de sa malle le vieux étui de sapin contenant l'instrument devenu pour elle un objet de première nécessité.

Dans les premiers temps, un seul clystère suffisait pour obtenir l'effet désiré; mais nos organes s'habituent à tout, même aux poisons; plus tard, il fallut en prendre deux, le second après avoir rendu le premier, le tout méthodiquement : ce qui n'occupait pas moins de deux heures.

Quelques années après, les intestins étaient réfractaires; ils ne réagissaient plus assez sur le liquide qui les distendait, et on fut obligé d'attaquer la constipation de deux côtés à la fois.

Les vieillards ne dorment pas toute leur nuit : dans les heures de veille, cette femme s'ingurgitait environ un litre de groseilles, et de deux jours l'un, à jeun, elle mangeait sans peine une livre, deux livres de gros pruneaux.

En outre, elle se baignait fréquemment dans l'eau tiède, évitait les mets excitants, les viandes noires, le mouton, le vin pur, proscrivait le café, le poivre et tous les aromates, observait un régime fade, se nourrissant exclusivement de veau en sauce, de légumes et de fruits. Grâce à ces soins et aux émollients dont elle s'abreuvait, elle se dispensait des efforts de la défécation, et de la lassitude qui la suit. Mais la constipation, dont elle avait peur, ne cessait de la menacer, et elle était devenue sujette aux vapeurs, comme une petite maîtresse, elle, de si forte constitution et taillée comme un hercule. Quand l'atmosphère se chargeait d'électricité, vous la voyiez inquiète, impatiente, s'agiter extraordinairement : c'étaient des bâillements, des pandiculations, des pleurs, des cris, à faire fuir tous ceux qui n'étaient pas tenus de rester auprès d'elle.

C'est dans cet état qu'elle est parvenue à l'âge de quatre-vingt-quatre ans, asservie à un régime, ou plutôt à un traitement perpétuel, le tout pour se soulager d'une indisposition qui aurait disparu, sans beaucoup de peine, avec un peu plus d'exercice, un peu moins d'inaction et une alimentation appropriée, en ne se privant point de viandes succulentes, qui auraient donné du ton à ses organes, et que réclamait d'ailleurs la vigueur de sa complexion.

En débilitant le corps, et en particulier le tube intestinal, ce dernier réagit avec moins de force sur le bol alimentaire et sur le résidu de la nutrition ; et c'est ainsi qu'en tâchant de détruire la constipation, on s'applique à la rendre interminable.

Si bien des personnes abusent des lavements et n'osent y renoncer, quelques autres aiment mieux subir les inconvénients, toutes les douleurs de la constipation, que d'avoir recours à un remède qui leur répugne.

OBSERVATION

Nous fûmes un soir appelé en hâte auprès d'une nourrice qui, depuis son premier accouchement datant de deux mois et demi, se plaignait de selles rares et très-difficiles. Son docteur lui avait prescrit de trois en trois jours un clystère avec la décoction de mercuriale ; mais ce remède déplaisait beaucoup : on n'en usait pas, et on souffrait en silence.

Nous la trouvâmes courbée sur le dossier d'un fauteuil, les traits crispés, gémissant, poussant des cris comme aux douleurs de l'enfantement. Elle ne pouvait se tenir debout ni assise, et s'agitait sans cesse. On l'aurait crue en proie à des tranchées, à des coliques intolérables.

Qu'avait-elle ? Avait-elle avalé quelque poison ? Nous fûmes plusieurs minutes à la considérer, avant qu'elle trouvât la force de nous expliquer la cause et la nature de ses souffrances.

26

Une colonne solide, dure comme pierre, enga-
gée dans un tuyau trop étroit par de violents et
très-longs efforts, ne pouvait ni avancer ni reculer,
et, dilatant outre mesure le canal, menaçait de le
rompre.

C'était un martyre qu'il ne fallait pas laisser se
prolonger, car il exposait à un danger sérieux. Le
chirurgien parvint bientôt à délivrer la patiente
par une manœuvre qui n'est rien moins qu'agréable; mais les efforts et la distension avaient été
tels qu'ils avaient déchiré la membrane, après
avoir dépassé la dernière limite de son élasticité.

Or, pendant les deux mois et plus que se fit attendre la guérison de cette fissure intestinale,
chaque fois qu'il fallait procéder à la fonction naturelle de la défécation, c'étaient des épreintes qui
arrachaient de longs gémissements, et causaient
des contorsions sur la figure.

Immédiatement après la crise, cette jeune femme
se hâta de se pourvoir du clyso-pompe, et ne refusa plus de s'en servir au besoin. Maintenant,
il lui est devenu inutile, et reste à l'état de pro-
vision.

SUPPOSITOIRE

Nous aurons peu de choses à dire d'un moyen évacuant, simple et commode à administrer : nous voulons parler du suppositoire. C'est un cône de trois à quatre centimètres de longueur, formé d'un corps gras, de suif, de beurre de cacao, avec ou sans mélange d'une poudre laxative, d'aloès, par exemple. Il ne tarde pas à fondre à la chaleur du lieu; une partie est absorbée, et cette fusion, cette absorption par une membrane aussi délicate et aussi sensible, l'excite, l'irrite ordinairement assez pour amener une selle plus ou moins copieuse.

Si on y a introduit plusieurs grains d'aloès, il fait sentir son action sur le rectum, et produit un effet purgatif.

MARMELADE LAXATIVE

Contre les selles rares et difficiles, nous avons employé bien des fois avec succès la marmelade d'abricots où l'on a soin de mêler une certaine dose d'extrait de séné. La substance purgative est assez bien masquée par cette confiture, qui s'avale sans dégoût, sans répugnance aucune, et produit d'ordinaire l'effet désiré. Au reste, on est libre de remplacer cette marmelade par une compote quelconque, suivant les goûts et les désirs de celui à qui on l'ordonne. Ce n'est point là un purgatif, mais un aliment qui relâche un peu, sans produire de nausées, de gaz ou de coliques.

ERVALENTA

Depuis quelques années, la quatrième page des journaux publie les vertus *merveilleuses* d'une fécule de nature inconnue, inconnue au vulgaire, car nous aimons à croire qu'elle n'est point ignorée de ses débitants, ou tout au moins de son inventeur, si inventeur il y a.

On la dit venue des Indes, et importée en France par un Anglais. Elle guérit (suivant l'annonce) la constipation, les mauvaises digestions, les pesanteurs de tête, etc., etc., etc.

Sans nous enquérir si réellement on la récolte sur les rives du Gange, ou si elle n'est pas simplement (comme certaines gens l'assurent) de la farine de pois, nous avons cru devoir la conseiller à quelques gastralgiques se plaignant de la paresse de leurs intestins; car, pour être en état de prononcer sur un remède ou sur un plat nouveau, il faut l'avoir expérimenté.

Les uns nous ont affirmé qu'ils se trouvaient, sinon guéris, au moins notablement soulagés, non point de leurs douleurs d'estomac, mais seulement de leur difficulté d'aller à la garde-robe.

Pour les autres, ses propriétés sont restées tellement *secrètes*, qu'il ne leur a pas été donné de s'en apercevoir. Peut-être y ont-ils renoncé trop tôt : car il paraît (et c'est l'avis des marchands) qu'on doit en user des semaines, des mois pour en recueillir les heureux effets et en garder le bénéfice.

Il est vrai qu'après un certain temps la plupart ne se soucient guère de manger tous les jours, à chaque repas, un potage toujours le même, composé d'une fécule qui n'a rien de désagréable à la vérité, mais non plus rien de savoureux ou qui flatte beaucoup le palais.

L'ennui naquit un jour de l'uniformité,

Et l'on se dégoûte des mets les plus délicats, s'il faut s'en nourrir habituellement, les avoir constamment devant les yeux.

Les cures citées actuellement par le grand dé-
positaire de l'Ervalenta sont bien propres à inspirer la confiance, et l'on n'a rien à craindre d'essayer de la farine en question. Les nombreux
malades qui se rendent aux eaux sulfureuses, où,
tous les matins, pendant trente jours, ils s'ingur-
gitent quatre à cinq verres d'un liquide qui a le
goût d'œufs pourris, ne montrent pas autant de
délicatesse. Et ont-ils tous la satisfaction, pour
prix de leur courage, de laisser aux thermes leurs
incommodités et leurs douleurs?

ALOÈS

Les grains de santé du docteur Frank ont fait
le tour du monde; on en a fabriqué pour des
gens bien portants de quoi ensemencer beaucoup
d'arpents de terre. Au temps de leur vogue, tous
les individus replets, et dont les garde-robes étaient
quelque peu pénibles, se munissaient de la boîte
aux grains de santé, aux grains de vie, et croyaient
y puiser la jouissance de longues années, exemptes
d'infirmités et de tous malaises.

Plus tard, quand la médecine ne voyait plus la
nécessité de chasser du corps l'atrabile et l'hu-

meur peccante, alors que dominait la lancette, la
diète et les sangsues, les grains de santé tombèrent
en désuétude : ils restaient étalés indéfiniment
sous le bocal de l'apothicaire.

Depuis quelques années, on y revient, grâce à
la réclame, aux trompettes de la publicité.

L'aloès entre dans toutes les pilules purgatives,
dans les grains de santé, de vie, etc.; mais la plupart de ces grains, de ces boulettes, comme les appellent les gens du peuple, contiennent un peu
d'une poudre drastique, du jalap, de la scammo-
née; aussi faut-il bien se garder d'en conseiller jamais aux personnes qui ont une maladie nerveuse
de l'estomac.

Celles qui demandent à être soulagées d'une
constipation douloureuse peuvent avaler, tous les
trois ou quatre jours, plusieurs grains d'aloès
purs, ou en pilule, une dose suffisante pour procurer une selle et non davantage. Encore doit-on
s'en abstenir quand on a affaire à des femmes délicates, aux membres grêles, au corps amaigri,
très-sensibles et très-irritables, car en voulant remédier à une indisposition on aggraverait la maladie principale.

GRANDS BAINS TIÈDES, PAIN NOIR

Le bain tiède rafraîchit, assouplit la peau, la relâche, et, à cause de sa sympathie avec la muqueuse digestive, cette dernière en éprouve des effets analogues. Après le bain, la chaleur des entrailles diminue, le ventre est sollicité, et bien des personnes, ordinairement constipées, n'ont pas besoin de recourir à d'autre évacuant.

Le bain tiède est agréable dans la belle saison; mais dans l'hiver il expose à un refroidissement, à des douleurs rhumatismales, contre lesquelles on ne saurait trop se prémunir. Et, puisqu'il y a d'autres moyens de combattre l'incommodité dont nous traitons en ce moment, on fait bien de s'abstenir de bains tièdes dès les pluies froides de l'automne jusqu'au milieu du printemps.

Au reste, les bains tièdes sont contraires à la gastralgie qui ne s'accompagne pas d'éréthisme; ils augmentent l'atonie, et nous les défendons lorsque l'état de l'estomac réclame les fortifiants.

OBSERVATION

Un étudiant en droit était sujet, depuis quelque temps, à une douloureuse constipation, qu'il attribuait avec raison à des excès d'étude et au défaut d'exercice.

Craignant les médecins non moins que la maladie, il n'eut garde de consulter.

D'après l'avis d'un de ses parents, il se mit à l'usage des bains tièdes, qui le soulagèrent de suite ; mais le bien était momentané, et, après trois ou quatre jours, force était de recommencer le remède.

C'était dans le courant de janvier : un jour que le vent du nord sifflait à l'angle des rues, nous rencontrâmes ce jeune homme, l'habit boutonné jusqu'au collet, et la physionomie péniblement affectée. Il sortait de l'établissement, et les pores béants de la peau se trouvant surpris par le froid, le malheureux baigneur, qui n'avait pas eu l'attention de se couvrir d'un manteau, se trouvait tout transi et souffreteux.

Rentré chez lui, il se plaça devant un bon feu, afin de se réchauffer ; et, après un quart-d'heure,

il grillait par devant pendant que la partie posté-
rieure du corps demeurait raide et comme glacée.

Le mal était fait ; il y avait eu suppression complète de la transpiration.

Inquiet de son état, le malade se mit au lit, se
chargea de couvertures, et ne put retrouver la
moiteur.

Dans la soirée, en se levant de table, il s'arrêta
soudain, tenant la jambe à demi-fléchie : un éclair
de douleur dans le genou l'avait transpercé, pour
ainsi dire, et avait empêché d'achever le pas, le
patient étant près de tomber en défaillance.

Après un moment, ayant retrouvé le calme, il
posa le pied sur le parquet avec beaucoup de précaution, imprima lentement à la jambe malade
quelques mouvements d'extension et de flexion,
puis il essaya d'avancer. La douleur n'étant plus
qu'un malaise, il se mit à aller et venir, comme si
de rien n'était. Seulement il lui semblait que l'ar-
ticulation était ouverte et remplie d'eau froide. On
la recouvrit d'une couche de coton cardé, et,
l'ayant ainsi préservée du froid, on ne fit pas
d'autre traitement.

Nous avons déjà averti que le jeune homme redoutait les ministres d'Esculape : « Je suis per-

suadé, assurait-il, qu'ils *m'emplâtreront* de vésicatoires ou de cautères, et, une fois entre leurs
mains, je me verrai astreint à avaler drogues sur
drogues. » Mais la constipation n'avait pas disparu, et l'on n'osait plus s'aller baigner.

L'étudiant habitait une chambre garnie que lui
louait un chef d'atelier; ce dernier, assez longtemps avant l'époque dont nous parlons, avait
connu l'incommodité dont il s'agit, et s'en était
délivré en adoptant le pain noir, un pain contenant beaucoup de son. Il indiqua ce remède à son
locataire, qui s'empressa d'en user, et dès le second jour eut à s'en applaudir. Ce pain rafraîchissant lui procura un bien-être général, et dès
lors les fonctions du ventre se rétablirent parfaitement. Le jeune rhumatisant regrettait bien de ne
s'être pas ouvert plus tôt à son propriétaire sur
son indisposition : il n'en eût pas souffert pendant
nombre de mois, et surtout il aurait évité ce mau-
dit refroidissement qui lui occasionna les tristes
douleurs des jointures, douleurs dont on se rap-
pelle toujours les premières atteintes, et dont on
ne voit guère la fin. Toute la vie elles laissent le
corps impressionnable, prédisposé à en être affecté
comme le premier jour, à la moindre occasion.

A vingt-cinq ans, il faut se vêtir de flanelle, se garantir contre le froid humide, heureux si plus tard, on n'est pas obligé d'aller payer tribut aux eaux minérales des Alpes ou des Pyrénées!

FIN

TABLE DES MATIÈRES

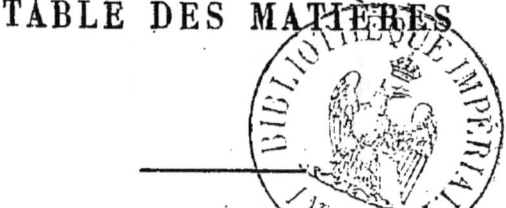

TRAITEMENT

GASTRALGIES COMPLIQUÉES

ERRATA

Page 98, *au lieu de* Borden, *lisez* Bordeu.

Page 178, ligne 21, *au lieu de* trop forte, *lisez* trop faible.